KB060580

일본어 말하기 루틴 만들기
66
Challenge

초판 1쇄 발행 2024년 5월 30일

지은이 시원스쿨어학연구소
펴낸곳 (주)에스제이더블유인터내셔널
펴낸이 양홍걸 이시원

홈페이지 japan.siwonschool.com
주소 서울시 영등포구 영신로 166 시원스쿨
교재 구입 문의 02)2014-8151
고객센터 02)6409-0878

ISBN 979-11-6150-848-1
Number 1-310301-23230021-08

패턴+회화+연습 문제로 일본어 말하기 습관 형성!

일본어 말하기 루틴 만들기

시원스쿨어학연구소 지음

S 시원스쿨닷컴

'66일'이 왜 중요할까요?

"새로운 행동이
습관으로 만들어지는 데 걸리는 시간
66일"

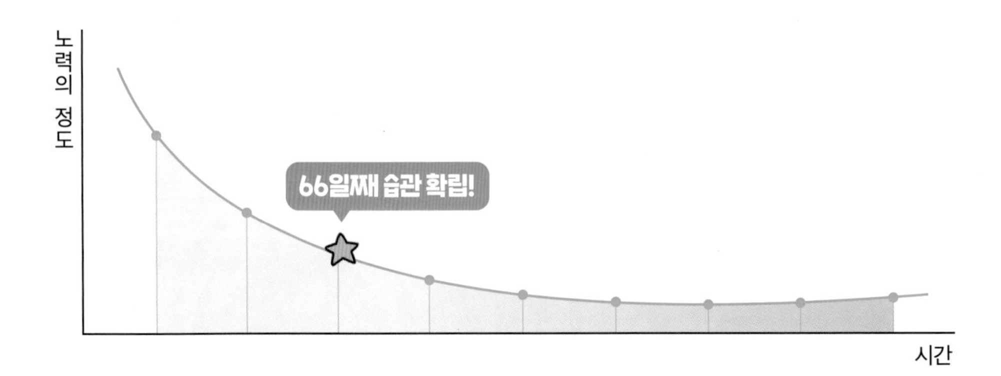

사람의 뇌는 행동을 의도적으로 바꾸려 하면
거부반응(잠이 오거나, 신경질적으로 되는 것 등)이 오는데
이러한 거부감을 이겨내기 위해 뇌에 자꾸 반복적인 자극을 줘야 해요!

영국의 심리학자가 진행한 실험에 의하면 **동일 행동을 평균 66일 이후부터**
생각, 의무감이 아닌 자동 반사적으로 행동을 했다고 합니다.
크게 힘을 쓰지 않아도 자연스럽게 습관으로 굳어진다는 입증이죠!
출처_jane wardle 연구팀 66일 습관의 법칙

작은 목표 달성이 모여 큰 목표가 달성됩니다.
주저하지 마시고, **〈일본어 말하기 루틴 만들기 66 Challenge〉**로
나만의 루틴을 만들어 보세요!

66일 동안 무엇을 학습하게 될까요?

PART 1 DAY1~33

일본어로 기본적인 의사소통이 가능해지는 33일!

존재 표현 희망 사항 표현 시간 · 숫자 표현	가능 여부 빈도 표현 의무 · 부탁 표현
경험 표현 열거 표현 조언 · 제안 표현	의지 표현 생각 · 추측 표현 이유 · 설명 표현

PART 2 DAY34~66

다양한 상황 속 일본인과 리얼한 롤플레잉이 가능해지는 33일!

SNS · OTT 날씨 · 휴식	소문 · 거절 기대 · 고민 충고 · 평판
직업 · 근무 통학 · 시험	쇼핑 · 여행 건강 · 미용
취미 · 취향 성격 · 외모 연애 · 이상형	

이 책의 구성 및 활용법

PART1

STEP1 오늘의 패턴!

질문 패턴과 답변 패턴을 함께 배우고 예문을 통해 학습합니다.

STEP2 대화 상황 속 패턴 익히기!

다양한 상황 속에서 패턴이 어떻게 활용되는지 알아보고 연습합니다.

PART2

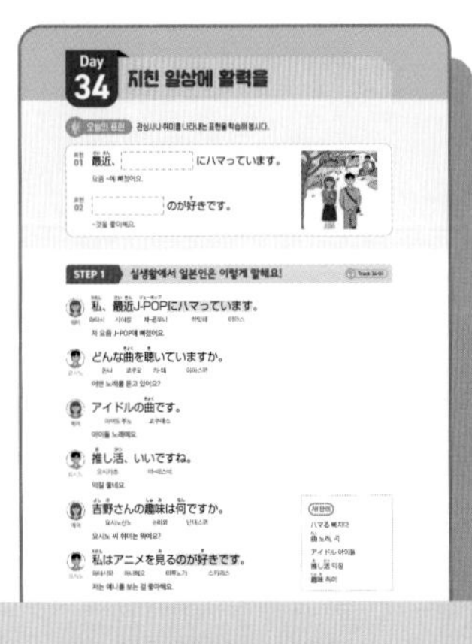

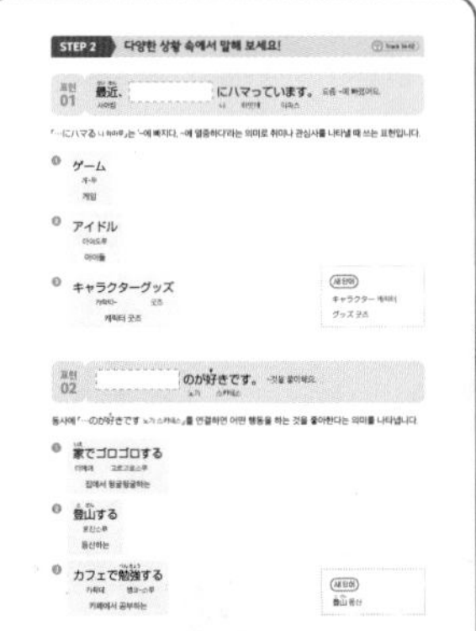

STEP1 진짜 리얼한 회화!

다양한 주제를 담은 리얼한 회화를 통해 진짜 일본인이 쓰는 표현을 학습합니다.

STEP2 패턴으로 교체 연습!

각 과의 주요 표현을 패턴 방식으로 교체 연습합니다.

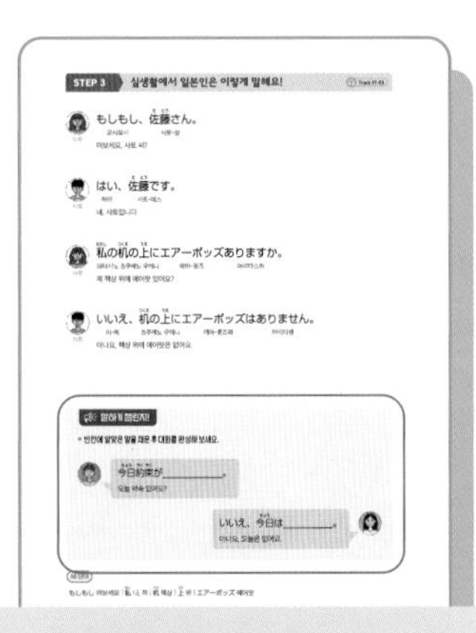

STEP 3 실생활에서 일본인은 이렇게 말해요!

もしもし、佐藤さん。

はい、佐藤です。

私の机の上にエアーポッズありますか。

いいえ、机の上にエアーポッズはありません。

말하기 챌린지!

今日約束が＿＿＿＿。

いいえ、今日は＿＿＿＿。

STEP3 회화로 말하기 챌린지!

실제 회화를 통해 생생하게 패턴을 익히고, 말하기 챌린지로 미니 테스트합니다.

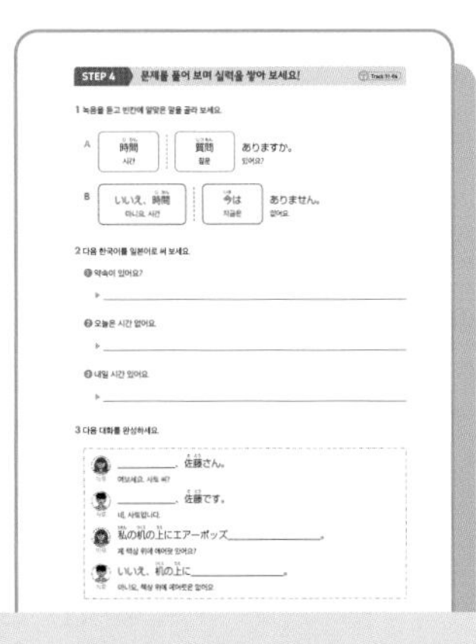

STEP 4 문제를 풀어 보며 실력을 쌓아 보세요!

A 時間 / 質問 ありますか。

B いいえ、時間 / 今は ありません。

STEP4 실전 문제를 통해 마무리 연습!

문제를 풀어보며 말하기 외에 듣기, 읽기, 쓰기까지 일본어 실력을 향상시킵니다.

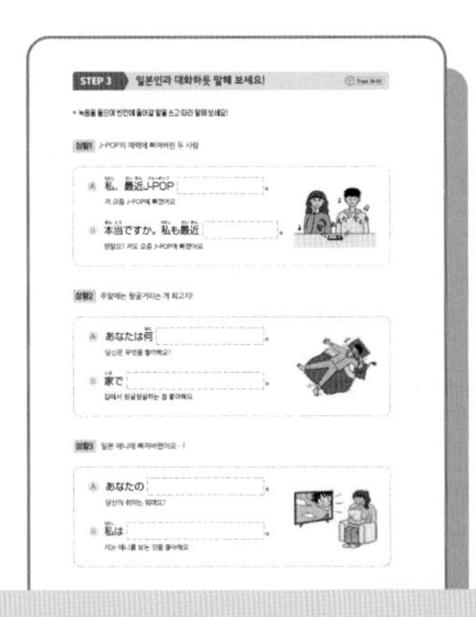

STEP 3 일본인과 대화하듯 말해 보세요!

A 私、最近J-POP

B 本当ですか。私も最近

A あなたは何

B 家で

A あなたの

B 私は

STEP3 듣고 써보며 상황 표현 연습!

다양한 주제를 담은 A-B 대화를 통해 실생활에서 바로 쓸 수 있는 예문을 익힙니다.

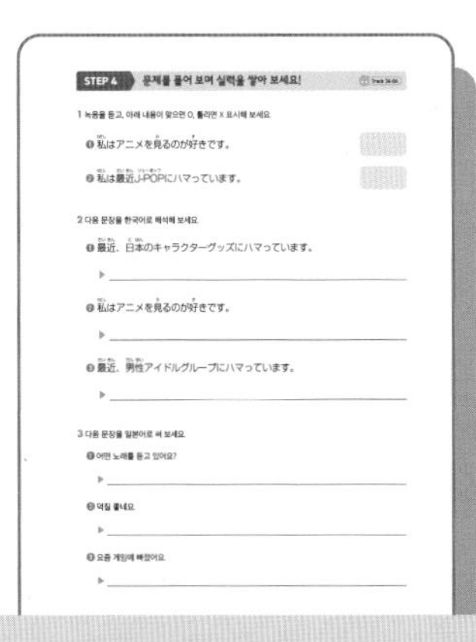

STEP 4 문제를 풀어 보며 실력을 쌓아 보세요!

❶ 私はアニメを見るのが好きです。

❷ 私は最近J-POPにハマっています。

❶ 最近、日本のキャラクターグッズにハマっています。

❷ 私はアニメを見るのが好きです。

❸ 最近、男性アイドルグループにハマっています。

STEP4 실전 문제를 통해 마무리 연습!

문제를 풀어보며 말하기 외에 듣기, 읽기, 쓰기까지 일본어 실력을 향상시킵니다.

이 책의 목차

PART1 일본어로 의사소통이 가능한 그날까지!

이제, 다음 스텝으로 GO~!

PART2 다양한 주제 상황 속 리얼한 롤플레잉!

일본어 말하기 루틴 만들기 성공~!

특별 부록 200% 활용법

MP3 음원 파일

패턴, 회화, 연습 문제까지 모두 MP3 음원을 제공하여 일본어 발음을 듣고 따라할 수 있습니다.

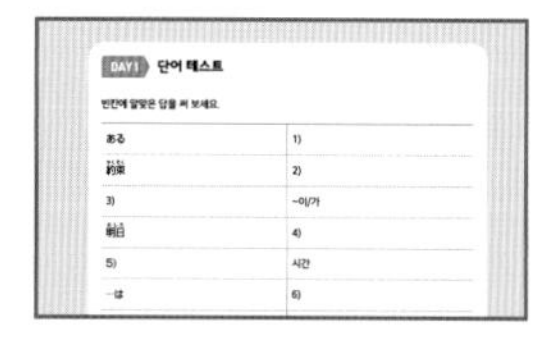

단어 테스트 PDF

빈칸에 일본어 단어와 한국어 뜻을 써 보며 각 과마다 학습했던 단어를 중간 점검할 수 있습니다.

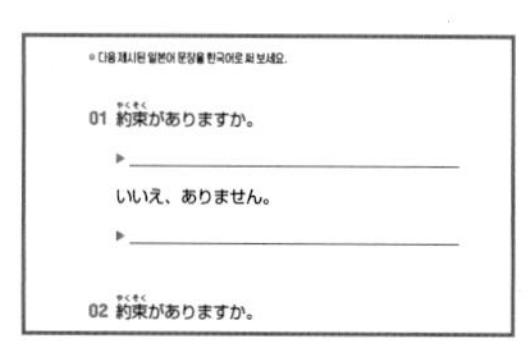

문장 쓰기 노트 PDF

과마다 학습한 내용 중 주요 패턴이 쓰인 문장을 직접 따라 쓰며 쓰기 연습을 할 수 있습니다.

말하기 트레이닝 영상

주요 문장을 일본어로 말해 보며 트레이닝 할 수 있는 영상을 제공하여 완벽 복습할 수 있습니다.

*** 부록 다운로드 경로**

❶ MP3 음원 및 단어 테스트, 문장 쓰기 노트 PDF 파일은 시원스쿨 일본어 홈페이지(japan.siwonschool.com) 로그인 > 학습지원센터 > 공부자료실 > 도서명 '일본어 말하기 루틴 만들기 66 Challenge' 검색 후 무료로 다운로드 가능합니다.

❷ 말하기 트레이닝 영상은 도서 QR 코드 스캔 및 유튜브에 도서명을 검색하여 시청 가능합니다.

66일 챌린지! 일본어 학습 습관 달력

Day1씩 학습 완료 후 ◎체크하며 나만의 학습 습관을 길러 보세요.

Day 1	Day 2	Day 3	Day 4	Day 5	Day 6
◎					
Day 7	Day 8	Day 9	Day 10	Day 11	Day 12
Day 13	Day 14	Day 15	Day 16	Day 17	Day 18
Day 19	Day 20	Day 21	Day 22	Day 23	Day 24
Day 25	Day 26	Day 27	Day 28	Day 29	Day 30
Day 31	Day 32	Day 33	Day 34	Day 35	Day 36
	일본어 학습 습관 50% 달성!				
Day 37	Day 38	Day 39	Day 40	Day 41	Day 42
Day 43	Day 44	Day 45	Day 46	Day 47	Day 48
Day 49	Day 50	Day 51	Day 52	Day 53	Day 54
Day 55	Day 56	Day 57	Day 58	Day 59	Day 60
Day 61	Day 62	Day 63	Day 64	Day 65	Day 66
				일본어 학습 습관 100% 달성!	

PART 1 Day01-33

일본어로 의사소통이 가능한 그날까지!

학습 순서 한눈에 보기!

Step1
질문+대답
패턴 학습

▶

Step2
연습 문제로
실력 테스트

▶

Step3
단어 테스트로
주요 단어 복습

▶

Step4
문장 쓰기 노트로
쓰기 실력 향상

▶

Step5
말하기 트레이닝으로
마무리 연습!

일상적인 주제로
일본인과 의사소통
할 수 있어요!

의지 표현 생각 · 추측 표현 이유 · 설명 표현	보다 논리적으로 생각을 말할 수 있어요!	DAY26~33
경험 표현 열거 표현 조언 · 제안 표현	자신의 이야기를 연결하여 말할 수 있어요!	DAY14~25
가능 여부 빈도 표현 의무 · 부탁 표현	일본어로 부탁하거나 물어볼 수 있어요!	DAY08~13
존재 표현 희망 사항 표현 시간 · 숫자 표현	일본인과 가장 기본적인 대화를 할 수 있어요!	DAY01~07

Day 1 혹시 있나요?

오늘의 표현 (사물이나 식물의) 존재에 대해 묻고 답하는 표현을 학습해 봅시다.

Q 질문 [　　　　　] ありますか。
~있어요?

A 답변 [　　　　　] ありません。
~없어요.

STEP 1 오늘의 패턴을 만나 보세요!

질문 패턴

「ある 아루」는 '(사물이나 식물이) 있다'라는 뜻으로 약속, 시간, 질문 등 무생물의 존재 유무를 나타낼 때 주로 쓰입니다. 정중하게 '있어요?'라고 질문할 때는「ありますか 아리마스까」라고 표현합니다.

답변 패턴

(사물이나 식물이) 있을 경우에는「あります 아리마스」라고 대답하고, 없을 경우에는「ありません 아리마셍」이라고 대답하면 됩니다.

Track 01-01

질문 約束(やくそく)がありますか。
약소쿠가 아리마스까
약속이 있어요?

답변 いいえ、ありません。
이-에 아리마셍
아니요, 없어요.

새 단어

ある (사물/식물이) 있다 | 約束(やくそく) 약속 | …が ~이/가

STEP 2 다양한 상황 속에서 말해 보세요!

● 일상에서 접할 수 있는 문장을 여러 번 따라 말해 보세요.

明日(あした)、時間(じかん)ありますか。
아시타 지캉 아리마스까
내일 시간 있어요?

明日(あした)は時間(じかん)ありません。
아시타와 지캉 아리마셍
내일은 시간 없어요.

このあと、用事(ようじ)ありますか。
코노 아토 요-지 아리마스까
이후에 볼일 있어요?

今日(きょう)はありません。
쿄-와 아리마셍
오늘은 없어요.

「用事(ようじ) 요-지」는 개인적인 용무, 볼일을 뜻해요. 업무상의 일은 「仕事(しごと) 시고토」라고 한답니다.

質問(しつもん)ありますか。
시츠몽 아리마스까
질문 있어요?

今(いま)はありません。
이마와 아리마셍
지금은 없어요.

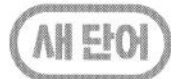

明日(あした) 내일 | 時間(じかん) 시간 | …は ~은/는 | このあと 이후(에), 이다음(에) | 用事(ようじ) 볼일, 용무 | 今日(きょう) 오늘 | 質問(しつもん) 질문 | 今(いま) 지금

STEP 3 실생활에서 일본인은 이렇게 말해요!

마루

もしもし、佐藤(さとう)さん。
모시모시 사토-상
여보세요, 사토 씨?

사토

はい、佐藤(さとう)です。
하이 사토-데스
네, 사토입니다.

마루

私(わたし)の机(つくえ)の上(うえ)にエアーポッズありますか。
와타시노 츠쿠에노 우에니 에아-폿즈 아리마스까
제 책상 위에 에어팟 있어요?

사토

いいえ、机(つくえ)の上(うえ)にエアーポッズはありません。
이-에 츠쿠에노 우에니 에아-폿즈와 아리마셍
아니요, 책상 위에 에어팟은 없어요.

말하기 챌린지!

- 빈칸에 알맞은 말을 채운 후 대화를 완성해 보세요.

今日(きょう)約束(やくそく)が＿＿＿＿＿＿。
오늘 약속 있어요?

いいえ、今日(きょう)は＿＿＿＿＿。
아니요, 오늘은 없어요.

새 단어

もしもし 여보세요 | 私(わたし) 나, 저 | 机(つくえ) 책상 | 上(うえ) 위 | エアーポッズ 에어팟

STEP 4 문제를 풀어 보며 실력을 쌓아 보세요!

Track 01-04

1 녹음을 듣고 빈칸에 알맞은 말을 골라 보세요.

A | 時間(じかん) 시간 | 質問(しつもん) 질문 | ありますか。 있어요?

B | いいえ、時間(じかん) 아니요, 시간 | 今(いま)は 지금은 | ありません。 없어요.

2 다음 한국어를 일본어로 써 보세요.

❶ 약속이 있어요?

▶ ______________________________

❷ 오늘은 시간 없어요.

▶ ______________________________

❸ 내일 시간 있어요.

▶ ______________________________

3 다음 대화를 완성하세요.

마루

__________、佐藤(さとう)さん。

여보세요, 사토 씨?

사토

__________、佐藤(さとう)です。

네, 사토입니다.

마루

私(わたし)の机(つくえ)の上(うえ)にエアーポッズ______________。

제 책상 위에 에어팟 있어요?

사토

いいえ、机(つくえ)の上(うえ)に______________。

아니요, 책상 위에 에어팟은 없어요.

Day 2 있고 말고요!

오늘의 표현 (사람이나 동물의) 존재에 대해 묻고 답하는 표현을 학습해 봅시다.

Q 질문 [　　　　] いますか。
~있어요?

A 답변 [　　　　] います。
~있어요.

STEP 1 오늘의 패턴을 만나 보세요!

질문 패턴

「いる 이루」는 '(사람이나 동물이) 있다'라는 뜻으로 대상이 자유 의지가 있는 경우에 주로 쓰입니다. 정중하게 '있어요?'라고 질문할 때는 「いますか 이마스까」라고 표현합니다.

답변 패턴

(사람이나 동물이) 있을 경우에는 「います 이마스」라고 대답하고, 없을 경우에는 「いません 이마셍」이라고 대답하면 됩니다.

Track 02-01

질문 今(いま)家(いえ)にいますか。
이마 이에니 이마스까
지금 집에 있어요?

답변 はい、家(いえ)にいます。
하이 이에니 이마스
네, 집에 있어요.

새 단어

家(いえ) 집 | …に ~에(때·장소를 가리킴)

STEP 2 다양한 상황 속에서 말해 보세요!

- 일상에서 접할 수 있는 문장을 여러 번 따라 말해 보세요.

兄弟(きょうだい)は何人(なんにん)いますか。
쿄-다이와 난닝 이마스까
형제는 몇 명 있나요?

二人(ふたり)います。
후타리 이마스
두 명 있어요.

今(いま)どこにいますか。
이마 도코니 이마스까
지금 어디에 있어요?

2階(にかい)にいます。
니카이니 이마스
2층에 있어요.

子供(こども)はいますか。
코도모와 이마스까
아이는 있어요?

娘(むすめ)が一人(ひとり)います。
무스메가 히토리 이마스
딸이 한 명 있어요.

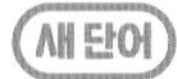

兄弟(きょうだい) 형제 | 何人(なんにん) 몇 명 | 二人(ふたり) 두 명 | どこ 어디 | 階(かい) 층 | 子供(こども) 아이, 어린이 | 娘(むすめ) 딸 | 一人(ひとり) 한 명

STEP 3 실생활에서 일본인은 이렇게 말해요!

마루

田中(たなか)さん、彼女(かのじょ)いますか。

타나카상 카노죠 이마스까

다나카 씨, 여자 친구 있어요?

다나카

いません。でも妻(つま)はいます。

이마셍 데모 츠마와 이마스

없어요. 근데 부인은 있어요.

마루

え、そうなんですか。

에 소-난데스까

엇, 그래요?

다나카

もう１０年目(じゅうねんめ)ですよ。

모- 쥬-넴메데스요

벌써 (결혼) 10년 차예요.

말하기 챌린지!

• 빈칸에 알맞은 말을 채운 후 대화를 완성해 보세요.

今(いま)どこに＿＿＿＿＿＿＿＿＿。

지금 어디에 있어요?

２階(にかい)に＿＿＿＿＿＿＿。

2층에 있어요.

새 단어

彼女(かのじょ) 여자 친구 | でも 근데, 그래도 | 妻(つま) 부인, 아내(자신의 아내를 가리키는 말) | もう 벌써, 이미 | …年目(ねんめ) ~년 차, ~년 째

STEP 4 문제를 풀어 보며 실력을 쌓아 보세요!

1 녹음을 듣고 빈칸에 알맞은 말을 골라 보세요.

A 兄弟(きょうだい)は何人(なんにん) 형제는 몇 명 ¦ 子供(こども)は 아이는 いますか。 있나요?

B 二人(ふたり) 두 명 ¦ 娘(むすめ)が一人(ひとり) 딸이 한 명 います。 있어요.

2 다음 한국어를 일본어로 써 보세요.

❶ 여자 친구 있어요?

▶ ____________________

❷ 근데 부인은 있어요.

▶ ____________________

❸ 아니요, 집에 없어요.

▶ ____________________

3 다음 대화를 완성하세요.

마루 田中(たなか)さん、____________________。
다나카 씨, 여자 친구 있어요?

다나카 __________。でも妻(つま)は__________。
없어요. 근데 부인은 있어요.

마루 え、__________。
엇, 그래요?

다나카 もう１０年目(じゅうねんめ)ですよ。
벌써 (결혼) 10년 차예요.

Day 3

인간의 욕심은 끝이 없고

오늘의 표현 바라거나 원하는 것을 묻고 답하는 표현을 학습해 봅시다.

Q 질문 [ ] がほしいですか。
~이/가 갖고 싶어요?

A 답변 いいえ、私(わたし)は [ ] がほしいです。
아니요, 저는 ~이/가 갖고 싶어요.

STEP 1 오늘의 패턴을 만나 보세요!

질문 패턴

「…がほしい 가 호시-」는 '~이/가 갖고 싶다', '~을/를 원하다'라는 표현으로 문장 끝에 '~인가요?'의 의미를 나타내는「ですか 데스까」를 붙이면 '~이/가 갖고 싶어요?', '~을/를 원하나요?'라는 질문이 됩니다.

답변 패턴

질문에 대답할 때는「…がほしいです 가 호시-데스」라는 표현을 써서 대답하면 됩니다. 이때 조사「を 오」를 쓰지 않도록 주의해야 합니다.

Track 03-01

질문 新(あたら)しいアイフォーンがほしいですか。
아타라시- 아이호-ㅇ가 호시-데스까
새 아이폰이 갖고 싶어요?

답변 いいえ、私(わたし)はタブレットがほしいです。
이-에 와타시와 타부렛토가 호시-데스
아니요, 저는 태블릿이 갖고 싶어요.

새 단어

ほしい 바라다, 갖고 싶다 | ですか ~인가요?, ~입니까? | 新(あたら)しい 새~, 새롭다 | アイフォーン 아이폰 | タブレット 태블릿

STEP 2 다양한 상황 속에서 말해 보세요!

● 일상에서 접할 수 있는 문장을 여러 번 따라 말해 보세요.

タブレットがほしいですか。
타부렛토가 호시-데스까
태블릿이 갖고 싶어요?

はい、タブレットがほしいです。
하이 타부렛토가 호시-데스
네, 태블릿이 갖고 싶어요.

マフラーがほしいですか。
마후라-가 호시-데스까
머플러가 갖고 싶어요?

いいえ、私(わたし)は手袋(てぶくろ)がほしいです。
이-에 와타시와 테부쿠로가 호시-데스
아니요, 저는 장갑을 갖고 싶어요.

家(いえ)がほしいですか。
이에가 호시-데스까
집이 갖고 싶어요?

いいえ、私(わたし)は車(くるま)がほしいです。
이-에 와타시와쿠루마가 호시-데스
아니요, 저는 자동차가 갖고 싶어요.

새 단어

マフラー 머플러 | 手袋(てぶくろ) 장갑 | 車(くるま) 자동차

STEP 3 실생활에서 일본인은 이렇게 말해요!

마루

このコート、彼氏(かれし)のプレゼントです。

코노 코-토 카레시노 푸레젠토데스

이 코트, 남친 선물이에요.

사토

素敵(すてき)ですね！うらやましいです！

스테키데스네 우라야마시-데스

멋지네요! 부러워요!

마루

佐藤(さとう)さんもコートがほしいですか。

사토-삼모 코-토가 호시-데스까

사토 씨도 코트가 갖고 싶어요?

사토

いいえ、私(わたし)は靴(くつ)がほしいです。

이-에 와타시와 쿠츠가 호시-데스

아니요, 저는 구두가 갖고 싶어요.

> **Tip**
> '~은/는 갖고 싶지 않아요', '~은/는 원하지 않아요'라고 말할 때는 「…はほしくないです 와 호시쿠나이데스」라고 하면 돼요.

말하기 챌린지!

- 빈칸에 알맞은 말을 채운 후 대화를 완성해 보세요.

家(いえ)____________________。

집이 갖고 싶어요?

いいえ、私(わたし)は____________________。

아니요, 저는 자동차가 갖고 싶어요.

새 단어

コート 코트 | 彼氏(かれし) 남자 친구 | プレゼント 선물 | 素敵(すてき)だ 멋지다 | うらやましい 부럽다 | 靴(くつ) 구두, 신발

STEP 4 문제를 풀어 보며 실력을 쌓아 보세요!

1 녹음을 듣고 빈칸에 알맞은 말을 골라 보세요.

A タブレット 태블릿 | マフラー 머플러 がほしいですか。
이/가 갖고 싶나요?

B いいえ、私(わたし)はアイフォーン 아니요, 저는 아이폰 | いいえ、私(わたし)は手袋(てぶくろ) 아니요, 저는 장갑 がほしいです。
이/가 갖고 싶어요.

2 제시어를 참고하여 다음 한국어를 일본어로 써 보세요.

❶ 저는 새 아이폰이 갖고 싶어요.

▶ ______________________________

❷ 가방을 갖고 싶어요?

▶ ______________________________ (* かばん 가방)

❸ 부러워요!

▶ ______________________________

3 다음 대화를 완성하세요.

마루 このコート、彼氏(かれし)の______________。
이 코트, 남친 선물이에요.

사토 ______________！うらやましいです！
멋지네요! 부러워요!

마루 佐藤(さとう)さんも______________。
사토 씨도 코트가 갖고 싶어요?

사토 いいえ、私(わたし)は______________。
아니요, 저는 구두가 갖고 싶어요.

Day 4 언제인지 알려줘요

오늘의 표현 특정한 날이나 시간을 묻고 답하는 표현을 학습해 봅시다.

Q 질문 [　　　　] っていつですか。
~은/는 언제예요?

A 답변 [　　　　] です。
~예요.

STEP 1 오늘의 패턴을 만나 보세요!

질문 패턴

어떤 특정한 날이나 시간을 물을 때 「…っていつですか ㅅ테 이츠데스까」라고 말합니다. 「…って ㅅ테」는 조사 「…は 와」의 회화체 표현이고, 「いつですか 이츠데스까」는 '언제예요?'라는 의미입니다.

답변 패턴

시간이나 날짜를 나타내는 명사 뒤에 「です 데스」를 붙이면 구체적인 시간과 날짜를 말할 수 있습니다.

Track 04-01

질문 アルバムの発売(はつばい)っていつですか。
아루바무노 하츠바잇테 이츠데스까
앨범 발매는 언제예요?

답변 明日(あした)です。
아시타데스
내일이에요.

새 단어

いつ 언제 | アルバム 앨범 | 発売(はつばい) 발매

STEP 2 다양한 상황 속에서 말해 보세요!

● 일상에서 접할 수 있는 문장을 여러 번 따라 말해 보세요.

結婚式(けっこんしき)っていつですか。
켁콘시킷테 이츠데스까
결혼식은 언제예요?

来月(らいげつ)です。
라이게츠데스
다음 달이에요.

飲(の)み会(かい)っていつですか。
노미카잇테 이츠데스까
회식은 언제예요?

7時(しちじ)からです。
시치지카라데스
7시부터예요.

誕生日(たんじょうび)っていつですか。
탄죠-빗테 이츠데스까
생일은 언제예요?

11月(じゅういちがつ)20日(はつか)です。
쥬-이치가츠 하츠카데스
11월 20일이에요.

새 단어

結婚式(けっこんしき) 결혼식 | 来月(らいげつ) 다음 달 | 飲(の)み会(かい) 회식 | …時(じ) ~시 | …から ~부터 | 誕生日(たんじょうび) 생일

STEP 3 실생활에서 일본인은 이렇게 말해요!

마루

佐藤(さとう)さん、引(ひ)っ越(こ)しっていつですか。

사토-상 힉코싯테 이츠데스까

사토 씨, 이사는 언제예요?

사토

あさってです。

아삿테데스

모레예요.

마루

どこに引(ひ)っ越(こ)しますか。

도코니 힉코시마스까

어디로 이사 가요?

사토

会社(かいしゃ)の近(ちか)くです。

카이샤노 치카쿠데스

회사 근처예요.

말하기 챌린지!

- 빈칸에 알맞은 말을 채운 후 대화를 완성해 보세요.

結婚式(けっこんしき)＿＿＿＿＿＿＿＿＿＿。

결혼식은 언제예요?

１１月(じゅういちがつ)２０日(はつか)＿＿＿＿＿＿＿＿＿＿。

11월 20일이에요.

새 단어

引(ひ)っ越(こ)し 이사 | あさって 모레 | 引(ひ)っ越(こ)す 이사 가다 | 会社(かいしゃ) 회사 | 近(ちか)く 근처

STEP 4 문제를 풀어 보며 실력을 쌓아 보세요!

Track 04-04

1 녹음을 듣고 빈칸에 알맞은 말을 골라 보세요.

2 제시어를 참고하여 다음 한국어를 일본어로 써 보세요.

❶ 졸업식은 언제예요?

▶ ______________________ (* 卒業式(そつぎょうしき) 졸업식)

❷ 다음 달 15일이에요.

▶ ______________________

❸ 앨범 발매는 언제예요?

▶ ______________________

3 다음 대화를 완성하세요.

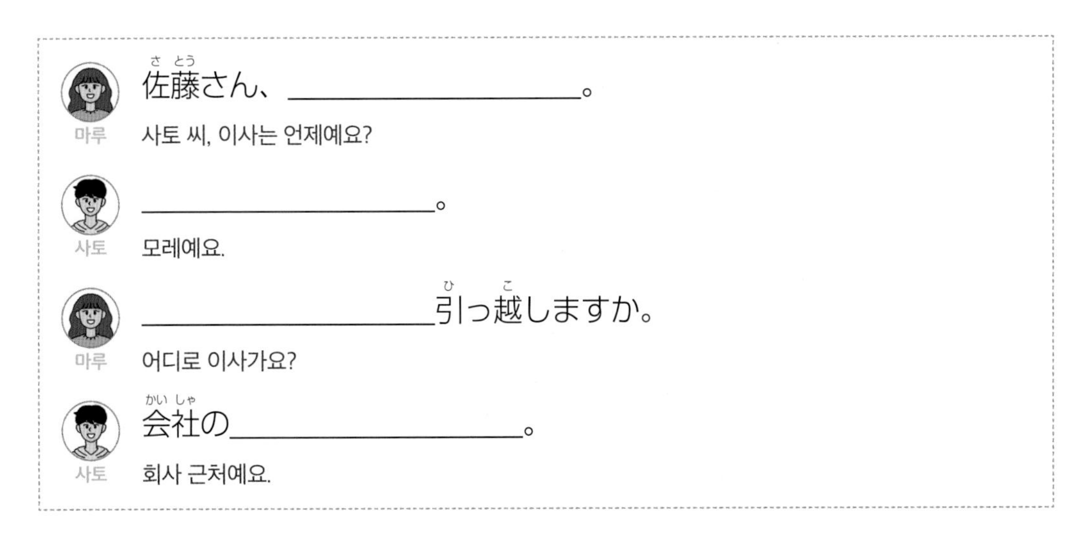

Day 5 기억이 가물가물

오늘의 표현 확실하지 않은 것을 묻고 이에 대해 답하는 표현을 학습해 봅시다.

Q 질문 [　　　　] でしたっけ。
~이었던가요?

A 답변 [　　　　] じゃないです。
~이/가 아니에요.

STEP 1 오늘의 패턴을 만나 보세요!

질문 패턴

「…でしたっけ 데시탁케」는 '~이었던가요?, ~였나요?, ~였죠?'라는 뜻입니다. 어떤 것에 대한 기억이 확실하지 않을 때 상대방에게 확인하거나 묻는 표현입니다.

답변 패턴

'~이/가 아니에요'라고 대답할 때는「…じゃないです 쟈 나이데스」라고 합니다.「じゃありません 쟈 아리마셍」도 같은 의미이지만「…じゃないです 쟈 나이데스」가 조금 더 회화체에 가까운 표현입니다.

Track 05-01

질문 今日(きょう)、誕生日(たんじょうび)でしたっけ。
코-　탄죠-비　데시탁케
오늘 생일이었던가요?

답변 いいえ、今日(きょう)じゃないです。
이-에　쿄-쟈　나이데스
아니요, 오늘 아니에요.

새 단어

…っけ ~던가, ~였나

STEP 2 다양한 상황 속에서 말해 보세요!

● 일상에서 접할 수 있는 문장을 여러 번 따라 말해 보세요.

すず き　だい がく せい
鈴木さん、大学生でしたっけ。
스즈키상　다이각세-　데시탁케
스즈키 씨 대학생이었던가요?

だい がく せい
大学生じゃないです。
다이각세-쟈　나이데스
대학생 아니에요.

きょう　はっ ぴょう　た なか
今日の発表は田中さんでしたっけ。
쿄-노　합표-와　타나카상　데시탁케
오늘 발표는 다나카 씨였던가요?

ぼく
僕じゃないです。
보쿠쟈　나이데스
저 아니에요.

사적으로 편한 자리에서 남자가 자신을 지칭할 때 「僕(ぼく) 보쿠」 또는 「俺(おれ) 오레」라고 표현해요. 「僕(ぼく) 보쿠」는 다정하고 예의를 차린 느낌이고 「俺(おれ) 오레」는 남자답고 거친 느낌이에요.

た むら　ひとり　こ
田村さんは一人っ子でしたっけ。
타무라상와　히토릭코　데시탁케
다무라 씨는 외동이었던가요?

ひとり　こ
一人っ子じゃないです。
히토릭코쟈　나이데스
외동 아니에요.

새 단어

大学生(だいがくせい) 대학생 | 発表(はっぴょう) 발표 | 僕(ぼく) 나, 저(남자가 자신을 지칭하는 말) | 一人っ子(ひとりっこ) 외동

STEP 3 실생활에서 일본인은 이렇게 말해요!

마루

今日(きょう)は昨日(きのう)より寒(さむ)いですね。

교-와 키노-요리 사무이데스네

오늘은 어제보다 춥네요.

사토

確(たし)かにそうですね。

타시카니 소-데스네

확실히 그렇네요.

> 본래 「確(たし)かに 타시카니」는 '확실히, 분명히'라는 뜻의 부사인데, 상대방의 말에 적극적으로 동의할 때 맞장구치는 표현으로도 사용해요. '듣고 보니 진짜 그렇네'라는 뉘앙스를 가지고 있어요.

마루

明日(あした)から雪(ゆき)でしたっけ。

아시타카라 유키데시탁케

내일부터 눈이었던가요?

사토

明日(あした)じゃないですよ。今日(きょう)からです。

아시타쟈 나이데스요 쿄-카라데스

내일 아니에요. 오늘부터예요.

말하기 챌린지!

● 빈칸에 알맞은 말을 채운 후 대화를 완성해 보세요.

今日(きょう)の発表(はっぴょう)は田中(たなか)さん＿＿＿＿＿＿＿＿。

오늘 발표는 다나카 씨였던가요?

いいえ、今日(きょう)＿＿＿＿＿＿＿＿。

아니요, 오늘 아니에요.

새 단어

昨日(きのう) 어제 | 寒(さむ)い 춥다 | 確(たし)かに 확실히 | 雪(ゆき) 눈(날씨)

STEP 4 문제를 풀어 보며 실력을 쌓아 보세요!

Track 05-04

1 녹음을 듣고 빈칸에 알맞은 말을 골라 보세요.

A

今日(きょう)、誕生日(たんじょうび) 오늘 생일	今日(きょう)の発表(はっぴょう)は田中(たなか)さん 오늘 발표는 다나카 씨	でしたっけ。 이었던가요?

B

いいえ、今日(きょう) 아니요, 오늘	僕(ぼく) 저	じゃないです。 아니에요.

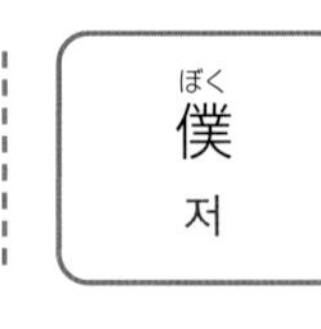

2 제시어를 참고하여 다음 한국어를 일본어로 써 보세요.

❶ 다무라 씨는 외동이었던가요?

▶ ______________________________

❷ 대학생 아니에요.

▶ ______________________________

❸ 외국인 아니에요.

▶ ______________________________ (* 外国人(がいこくじん) 외국인)

3 다음 대화를 완성하세요.

마루: ______________寒(さむ)いですね。
오늘은 어제보다 춥네요.

사토: 確(たし)かに______________。
확실히 그렇네요.

마루: 明日(あした)から雪(ゆき)______________。
내일부터 눈이었던가요?

사토: 明日(あした)______________。今日(きょう)______________。
내일 아니에요. 오늘부터예요.

Day 6

어떤지 궁금해요

오늘의 표현 상대방의 의견이나 감상을 묻고 이에 대해 답하는 표현을 학습해 봅시다.

Q 질문 [　　　　] はどうですか。
~은/는 어때요?

A 답변 [　　　　] です。
~해요.

STEP 1 오늘의 패턴을 만나 보세요!

질문 패턴

「どうですか 도-데스까」는 '어때요?, 어떻습니까?'라는 뜻으로, 정중하게 상대방의 의견이나 감상 등을 물을 때 사용합니다.

답변 패턴

질문에 대답할 때는 '~해요'라는 뜻의 「…です 데스」라고 대답하면 됩니다. 이때 い형용사는 기본형에 「です 데스」를 붙이고, な형용사는 마지막 「だ 다」를 떼고 「です 데스」를 붙입니다.

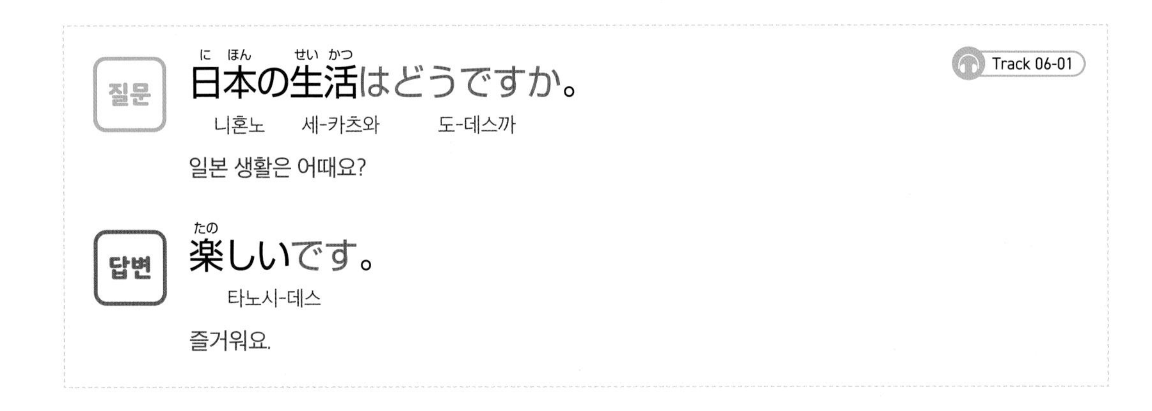

질문 日本(にほん)の生活(せいかつ)はどうですか。 Track 06-01
니혼노 세-카츠와 도-데스까
일본 생활은 어때요?

답변 楽(たの)しいです。
타노시-데스
즐거워요.

새 단어

日本(にほん) 일본 | 生活(せいかつ) 생활 | 楽(たの)しい 즐겁다

STEP 2 다양한 상황 속에서 말해 보세요!

● 일상에서 접할 수 있는 문장을 여러 번 따라 말해 보세요.

今日(きょう)の天気(てんき)はどうですか。
코-노 텡키와 도-데스까
오늘 날씨는 어때요?

肌寒(はださむ)いです。
하다사무이데스
쌀쌀해요.

雰囲気(ふんいき)はどうですか。
훙이키와 도-데스까
분위기는 어때요?

気(き)まずいです。
키마즈이데스
어색해요.

'분위기'를 뜻하는 「雰囲気(ふんいき) 훙이키」의 발음은 네이티브에게도 어려워서 「ふんいき 훙이키」를 「ふいんき 후잉키」라고 발음하기도 한답니다.

味(あじ)はどうですか。
아지와 도-데스까
맛은 어때요?

まあまあです。
마-마-데스
그저 그래요.

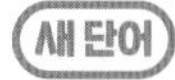

天気(てんき) 날씨 | 肌寒(はださむ)い 쌀쌀하다 | 雰囲気(ふんいき) 분위기 | 気(き)まずい 어색하다 | 味(あじ) 맛 | まあまあだ 그저 그렇다

STEP 3 실생활에서 일본인은 이렇게 말해요!

もう8時(はちじ)ですね。

모- 하치지데스네

벌써 8시네요.

한국어는 '배가 고파요'라고 표현하지만, 일본어는 과거형으로 「お腹(なか)が空(す)きました 오나카가 스키마시타」라고 말합니다.

そうですか。お腹空(なかす)きましたね。

소-데스까 오나카 스키마시타네

그래요? 배고프네요.

出前(でまえ)はどうですか。

데마에와 도-데스까

배달은 어때요?

いいですよ。

이-데스요

좋아요.

말하기 챌린지!

- 빈칸에 알맞은 말을 채운 후 대화를 완성해 보세요.

雰囲気(ふんいき)________________。

분위기는 어때요?

まあまあ__________。

그저 그래요.

새 단어

お腹空(なかす)く 배고프다 | 出前(でまえ) 배달 | いい 좋다

STEP 4 문제를 풀어 보며 실력을 쌓아 보세요!

Track 06-04

1 녹음을 듣고 빈칸에 알맞은 말을 골라 보세요.

A 今日の天気(きょう てんき) 오늘 날씨 | 日本の生活(にほん せいかつ) 일본 생활 はどうですか。 은/는 어때요?

B 肌寒いです。(はださむ) 쌀쌀해요. | 楽しいです。(たの) 즐거워요.

2 제시어를 참고하여 다음 한국어를 일본어로 써 보세요.

❶ 맛은 어때요?

▶ ______________________________

❷ 기분은 어때요?

▶ ______________________________ (* 気分(きぶん) 기분)

❸ 어색해요.

▶ ______________________________

3 다음 대화를 완성하세요.

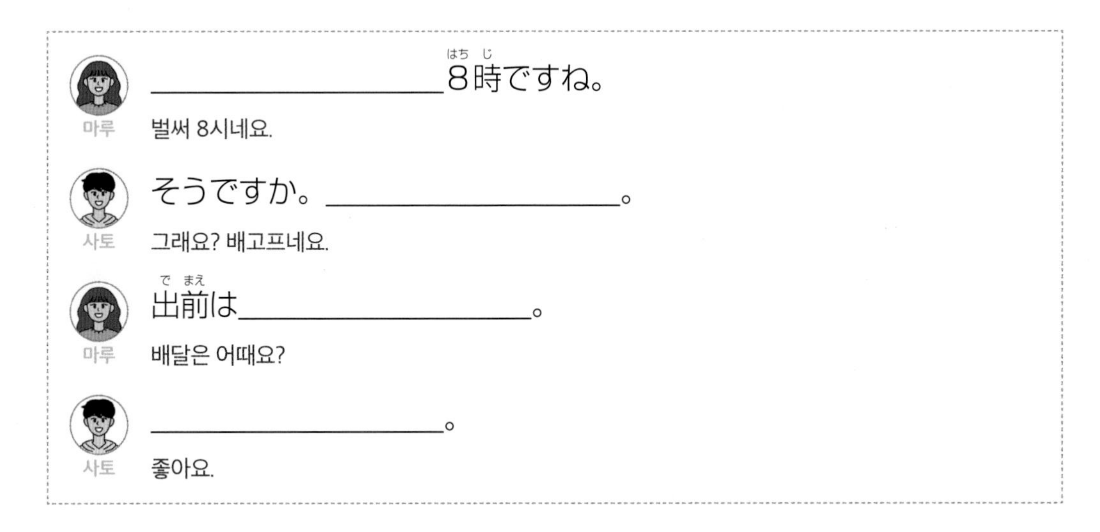

마루 ______________8時(はちじ)ですね。
벌써 8시네요.

사토 そうですか。______________。
그래요? 배고프네요.

마루 出前(でまえ)は______________。
배달은 어때요?

사토 ______________。
좋아요.

Day 7 딱 하나만 선택해 봐

오늘의 표현 상대방에게 두 가지 중 하나를 선택하도록 묻고 이에 대해 답하는 표현을 학습해 봅시다.

Q 질문 [　　] と [　　] とどっちが [　　] ですか。

A와 B 중에 어느 쪽이 ~해요?

A 답변 [　　] の方(ほう)が [　　] です。

~이/가 ~해요.

STEP 1 오늘의 패턴을 만나 보세요!

질문 패턴

「…と 토」는 '~와/과, ~(이)랑'이라는 뜻의 조사이며 「どっち 돗치」는 「どちら 도치라」의 준말로 '어느 쪽'이라는 뜻입니다. 'A와 B 중에 어느 쪽이 ~해요?'라고 상대방에게 둘 중 하나를 고르도록 물을 때 「AとBとどっちが…ですか A토 B토 돗치가 ~데스까」라고 표현합니다.

답변 패턴

둘 중에 하나를 선택할 때는 '~쪽(편)이 ~해요'라고 답합니다. 우리말 그대로 번역하여 '~이/가 ~해요'라고 하지 않고 '~쪽(편)이'를 나타내는 「の方(ほう)が 노 호-가」를 붙여 말해야 합니다.

Track 07-01

질문 チキンとピザとどっちがおいしいですか。

치킨토 피자토 돗치가 오이시-데스까

치킨이랑 피자 중에 어느 쪽이 맛있어요?

답변 チキンの方(ほう)がおいしいです。

치킨노 호-가 오이시-데스

치킨이 맛있어요.

새 단어

と ~와/과, ~(이)랑 | 方(ほう) 쪽, 편 | チキン 치킨 | ピザ 피자 | おいしい 맛있다

STEP 2 다양한 상황 속에서 말해 보세요!

● 일상에서 접할 수 있는 문장을 여러 번 따라 말해 보세요.

夏(なつ)と冬(ふゆ)とどっちが好(す)きですか。

나츠토 후유토 돗치가 스키데스까

여름이랑 겨울 중에 어느 쪽을 좋아해요?

冬(ふゆ)の方(ほう)が好(す)きです。

후유노 호-가 스키데스

겨울을 좋아해요.

実物(じつぶつ)と写真(しゃしん)とどっちが可愛(かわい)いですか。

지츠부츠토 샤신토 돗치가 카와이-데스까

실물이랑 사진 중에 어느 쪽이 귀여워요?

実物(じつぶつ)の方(ほう)が可愛(かわい)いです。

지츠부츠노 호-가 카와이-데스

실물이 귀여워요.

年上(としうえ)と年下(としした)とどっちがいいですか。

토시우에토 토시시타토 돗치가 이-데스까

연상이랑 연하 중에 어느 쪽이 좋아요?

年下(としした)の方(ほう)がいいです。

토시시타노 호-가 이-데스

연하가 좋아요.

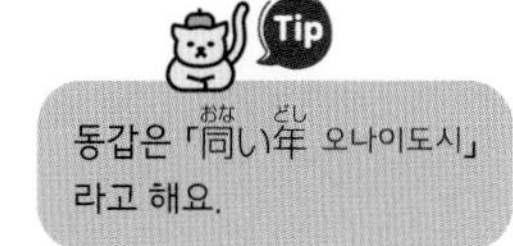

새 단어

夏(なつ) 여름 | 冬(ふゆ) 겨울 | 好(す)きだ 좋아하다 | 実物(じつぶつ) 실물 | 写真(しゃしん) 사진 | 可愛(かわい)い 귀엽다 | 年上(としうえ) 연상 | 年下(としした) 연하

STEP 3 실생활에서 일본인은 이렇게 말해요!

마루

コーヒー飲(の)みますか。

코-히- 노미마스까

커피 마실래요?

다나카

あ、ありがとうございます。

아 아리가토-고자이마스

아, 감사합니다.

마루

ホットとアイスとどっちがいいですか。

홋토토 아이스토 돗치가 이-데스까

핫이랑 아이스 중에 어느 쪽이 좋아요?

다나카

アイスの方(ほう)がいいです。

아이스노 호-가 이-데스

아이스가 좋아요.

말하기 챌린지!

● 빈칸에 알맞은 말을 채운 후 대화를 완성해 보세요.

チキン___ピザ________おいしい_________。

치킨이랑 피자 중에 어느 쪽이 맛있어요?

チキン_______おいしい______。

치킨이 맛있어요.

새 단어

コーヒー 커피 | 飲(の)む 마시다 | ホット 핫(Hot), 뜨거운 것 | アイス 아이스(Ice), 차가운 것

STEP 4 문제를 풀어 보며 실력을 쌓아 보세요!

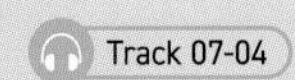

1 녹음을 듣고 빈칸에 알맞은 말을 골라 보세요.

A
年上(としうえ)と年下(としした) 연상과 연하	夏(なつ)と冬(ふゆ) 여름과 겨울

とどっちがいいですか。
중에 어느 쪽이 좋아요?

B
年下(としした) 연하	冬(ふゆ) 겨울

の方(ほう)がいいです。
이/가 좋아요.

2 제시어를 참고하여 다음 한국어를 일본어로 써 보세요.

❶ 우롱차 마실래요?

▶ ______________________________ (* ウーロン茶(ちゃ) 우롱차)

❷ 실물이랑 사진 중에 어느 쪽이 귀여워요?

▶ ______________________________

❸ 사진이 귀여워요.

▶ ______________________________

3 다음 대화를 완성하세요.

마루: ____________飲(の)みますか。
커피 마실래요?

다나카: あ、____________。
아, 감사합니다.

마루: ______と______とどっちがいいですか。
핫이랑 아이스 중에 어느 쪽이 좋아요?

다나카: ____________の方(ほう)がいいです。
아이스가 좋아요.

Day 8 불가능한 것도 있지

오늘의 표현 가능 여부나 상대방의 능력을 묻고 이에 대해 답하는 표현을 학습해 봅시다.

Q 질문 [　　　　] ことはできますか。
~할 수 있나요?

A 답변 [　　　　] はできません。
~은/는 못 해요(불가능해요).

STEP 1 오늘의 패턴을 만나 보세요!

질문 패턴

「できる 데키루」는 '할 수 있다, 가능하다'라는 뜻으로 「…ことはできる 코토와 데키루」는 '~할 수 있다'라는 의미입니다. 동사 기본형에 접속하여 「…ことはできますか 코토와 데키마스까」라고 하면, 가능 여부나 능력 유무를 묻는 표현이 됩니다.

답변 패턴

'할 수 있다, 가능하다'는 「できます 데키마스」라고 말하며, '할 수 없다, 불가능하다'라고 할 때는 「できません 데키마셍」이라고 말합니다.

Track 08-01

질문 ギターを弾(ひ)くことはできますか。
기타-오 히쿠 코토와 데키마스까
기타를 칠 수 있나요?

답변 ギターはできません。
기타-와 데키마셍
기타는 못 쳐요.

새 단어

ギター 기타 | 弾(ひ)く (악기를) 치다

STEP 2 다양한 상황 속에서 말해 보세요!

- 일상에서 접할 수 있는 문장을 여러 번 따라 말해 보세요.

運転(うんてん)することはできますか。
운텐스루 코토와 데키마스까
운전할 수 있어요?

運転(うんてん)はできません。
운텡와 데키마셍
운전은 못 해요.

'~할 수 없어요'는 동사 기본형에 「…ことはできません 코토와 데키마셍」이라고 표현하면 돼요.

ペットと入(はい)ることはできますか。
펫토토 하이루 코토와 데키마스까
반려동물과 들어갈 수 있나요?

ペットはできません。
펫토와 데키마셍
반려동물은 안 돼요(못 들어가요).

Wi-Fi(ワイファイ)を使(つか)うことはできますか。
와이화이오 츠카우 코토와 데키마스까
와이파이를 사용할 수 있나요?

ここではできません。
코코데와 데키마셍
여기서는 안 돼요(못 써요).

새 단어

運転(うんてん) 운전 | ペット 반려동물 | 入(はい)る 들어 가다, 들어 오다 | Wi-Fi(ワイファイ) 와이파이 | 使(つか)う 사용하다, 쓰다

STEP 3 실생활에서 일본인은 이렇게 말해요!

마루

田中(たなか)さん、お願(ねが)いがあります。

타나카상 오네가이가 아리마스

다나카 씨, 부탁이 있어요.

다나카

はい、何(なん)ですか。

하이 난데스까

네, 뭐예요?

마루

これ今日中(きょうじゅう)に終(お)えることはできますか。

코레 쿄-쥬-니 오에루 코토와 데키마스까

이거 오늘 중으로 끝낼 수 있어요?

다나카

すみません、今日中(きょうじゅう)にはできません。

스미마셍 쿄-쥬-니와 데키마셍

죄송해요. 오늘 중으로는 못 끝내요.

말하기 챌린지!

- 빈칸에 알맞은 말을 채운 후 대화를 완성해 보세요.

運転(うんてん)する________________。

운전할 수 있어요?

運転(うんてん)________________。

운전은 할 수 있어요.

새 단어

お願(ねが)い 부탁 | 今日中(きょうじゅう)に 오늘 중으로 | 終(お)える 끝내다

STEP 4 문제를 풀어 보며 실력을 쌓아 보세요!

1 녹음을 듣고 빈칸에 알맞은 말을 골라 보세요.

A ペットと入(はい)る 반려동물과 들어갈 | Wi-Fi(ワイファイ)を使(つか)う 와이파이를 사용할 ことはできますか。 수 있나요?

B ペット 반려동물 | ここで 여기서 はできません。 은/는 안 돼요.

2 제시어를 참고하여 다음 한국어를 일본어로 써 보세요.

❶ 수영할 수 있나요?

▶ ________________________ (* 泳(およ)ぐ 수영하다, 헤엄치다)

❷ 기타는 못 쳐요.

▶ ________________________

❸ 영어는 못 해요.

▶ ________________________

3 다음 대화를 완성하세요.

마루: 田中(たなか)さん、________________。
다나카 씨, 부탁이 있어요.

다나카: はい、________________。
네, 뭐예요?

마루: これ今日中(きょうじゅう)に終(お)える________________。
이거 오늘 중으로 끝낼 수 있어요?

다나카: すみません、________________。
죄송해요. 오늘 중으로는 못 끝내요.

Day 9 조심스럽게 용기내서

오늘의 표현 상대방에게 의향을 묻거나 권유하는 표현과 이에 답하는 표현을 학습해 봅시다.

Q 질문 [　　　　] ませんか。
~하지 않을래요?

A 답변 [　　　　] ましょう！
~합시다!

STEP 1 오늘의 패턴을 만나 보세요!

질문 패턴

상대방에게 의향을 묻거나 권유할 때 '~하지 않을래요?'라는 뜻의 「…ませんか 마셍까」를 사용합니다. 동사 ます형에 접속합니다.

답변 패턴

상대방이 무언가 같이 하자고 할 때 '~합시다!'라고 동의하는 경우, 「…ましょう 마쇼-」라고 대답합니다. 「…ませんか 마셍까」보다 적극적으로 권유하는 뉘앙스를 내포합니다.

Track 09-01

질문 今日(きょう)は外食(がいしょく)しませんか。
쿄-와 가이쇼쿠 시마셍까
오늘은 외식하지 않을래요?

답변 はい、外(そと)で食(た)べましょう！
하이 소토데 타베마쇼-
네, 밖에서 먹읍시다!

새 단어

外食(がいしょく) 외식 | 外(そと) 밖 | で ~에서 | 食(た)べる 먹다

STEP 2 다양한 상황 속에서 말해 보세요!

- 일상에서 접할 수 있는 문장을 여러 번 따라 말해 보세요.

いっしょ えいが み
一緒に映画見ませんか。
잇쇼니 에-가 미마셍까
같이 영화 보지 않을래요?

えいが み
映画見ましょう！
에-가 미마쇼-
영화 봅시다!

しゅうまつ
週末にドライブしませんか。
슈-마츠니 도라이부 시마셍까
주말에 드라이브하지 않을래요?

ドライブしましょう！
도라이부 시마쇼-
드라이브합시다!

りょこう い
旅行に行きませんか。
료코-니 이키마셍까
여행 가지 않을래요?

りょこう い
旅行に行きましょう！
료코-니 이키마쇼-
여행 갑시다!

새 단어

一緒に(いっしょ) 같이, 함께 | 映画(えいが) 영화 | 週末(しゅうまつ) 주말 | ドライブ 드라이브 | 旅行(りょこう) 여행 | 行く(い) 가다

STEP 3 실생활에서 일본인은 이렇게 말해요!

마루

週末(しゅうまつ)に一緒(いっしょ)に買(か)い物(もの)に行(い)きませんか。

슈-마츠니 잇쇼니 카이모노니 이키마셍까

주말에 같이 쇼핑 안 갈래요?

사토

そうしましょう。

소-시마쇼-

그렇게 합시다.

마루

じゃ、銀座(ぎんざ)で会(あ)いましょうか。

쟈 긴자데 아이마쇼-까

그럼, 긴자에서 만날까요?

사토

いいですよ。

이-데스요

좋아요.

Tip

「…ましょうか 마쇼-까」는 '~할까요?'라는 뜻으로, 상대방에게 함께 어떤 행동을 하자고 제안할 때 사용하는 표현이에요.

말하기 챌린지!

- 빈칸에 알맞은 말을 채운 후 대화를 완성해 보세요.

一緒(いっしょ)に映画(えいが)見(み)＿＿＿＿＿＿＿＿。

같이 영화 보지 않을래요?

＿＿＿＿＿＿＿＿。映画(えいが)見(み)＿＿＿＿＿＿＿＿。

좋아요. 영화 봅시다.

새 단어

買(か)い物(もの) 쇼핑 | そうする 그렇게 하다 | じゃ 그럼 | 銀座(ぎんざ) 긴자(도쿄의 가장 번화한 거리) | 会(あ)う 만나다

STEP 4 문제를 풀어 보며 실력을 쌓아 보세요!

Track 09-04

1 녹음을 듣고 빈칸에 알맞은 말을 골라 보세요.

A

ドライブし 드라이브하지	旅行(りょこう)に行(い)き 여행 가지	ませんか。 않을래요?

B

2 제시어를 참고하여 다음 한국어를 일본어로 써 보세요.

❶ 어디서 만날까요?

▶ ____________________

❷ 긴자역에서 만납시다.

▶ ____________________ (* 銀座駅(ぎんざえき) 긴자역)

❸ 주말에 여행 가지 않을래요?

▶ ____________________

3 다음 대화를 완성하세요.

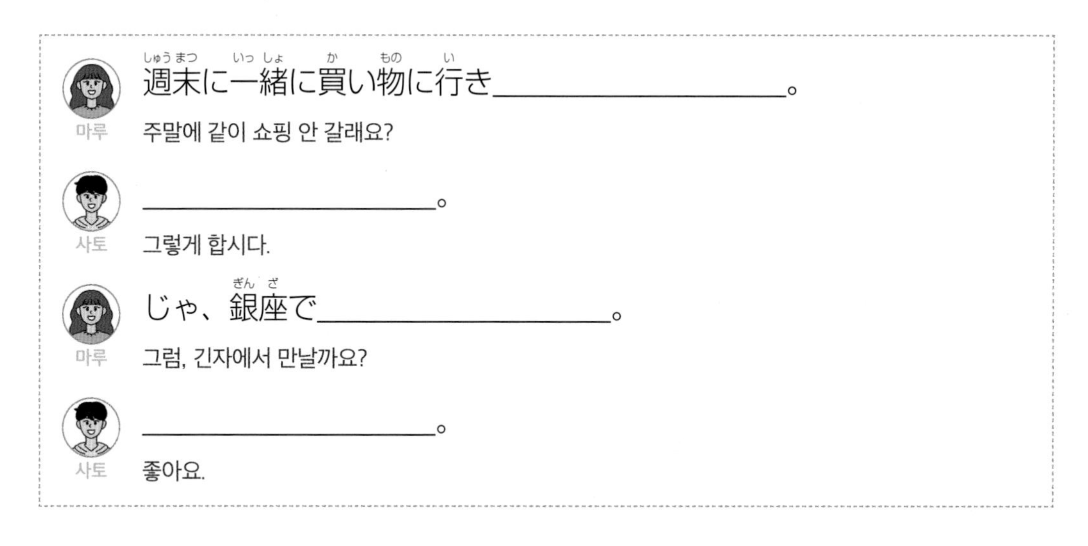

Day 10

얼마나 자주 해요?

 오늘의 표현 빈도를 묻고 답하는 표현을 학습해 봅시다.

Q 질문 よく [　　　　] ますか。
자주 ~해요?

A 답변 あまり [　　　　] ません。
별로 ~하지 않아요.

STEP 1 오늘의 패턴을 만나 보세요!

질문 패턴

「よく 요쿠」는 '자주'라는 뜻으로 빈도를 나타냅니다. 동사 ます형에 「ますか 마스까」를 붙여서 '자주 ~해요?'라는 뜻을 나타낼 수 있습니다.

답변 패턴

「あまり 아마리」는 '별로, 그다지'라는 뜻으로, 뒤에는 부정문이 옵니다. 동사 ます형에 「ません 마셍」을 붙여서 '별로 ~하지 않아요'라는 뜻을 나타낼 수 있습니다.

Track 10-01

질문 よく**野菜**(やさい)**を食**(た)**べ**ますか。
요쿠 야사이오 타베마스까
자주 채소를 먹어요?

답변 あまり**野菜**(やさい)**は食**(た)**べ**ません。
아마리 야사이와 타베마셍
별로 채소는 먹지 않아요.

새 단어

野菜(やさい) 채소

STEP 2 다양한 상황 속에서 말해 보세요!

- 일상에서 접할 수 있는 문장을 여러 번 따라 말해 보세요.

よく筋(きん)トレをしますか。
요쿠 킨토레오 시마스까
자주 근력 운동을 해요?

あまり運動(うんどう)はしません。
아마리 운도-와 시마셍
별로 운동은 안 해요.

よく海外旅行(かいがいりょこう)に行(い)きますか。
요쿠 카이가이료코-니 이키마스까
자주 해외여행을 가요?

あまり海外(かいがい)には行(い)きません。
아마리 카이가이니와 이키마셍
별로 해외에는 안 가요.

夏(なつ)にサングラスはよくかけますか。
나츠니 상구라스와 요쿠 카케마스까
여름에 선글라스는 자주 껴요?

あまりかけません。
아마리 카케마셍
별로 안 껴요.

새 단어

筋(きん)トレ 근력 운동, 웨이트 | 運動(うんどう) 운동 | 海外旅行(かいがいりょこう) 해외여행 | サングラス 선글라스 | かける (안경 등을) 쓰다

STEP 3 실생활에서 일본인은 이렇게 말해요!

마루

佐藤(さとう)さんの実家(じっか)はどこですか。

사토-산노 직카와 도코데스까

사토 씨 본가는 어디예요?

사토

京都(きょうと)です。

쿄-토데스

교토예요.

마루

そうですか。実家(じっか)にはよく帰(かえ)りますか。

소-데스까 직카니와 요쿠 카에리마스까

그래요? 본가에는 자주 가요?

사토

いいえ、遠(とお)くてあまり帰(かえ)りません。

이-에 토-쿠테 아마리 카에리마셍

아니요, 멀어서 별로 가지 않아요.

말하기 챌린지!

- 빈칸에 알맞은 말을 채운 후 대화를 완성해 보세요.

______夜食(やしょく)を食(た)べ________。

자주 야식을 먹어요?

________夜食(やしょく)は食(た)べ_______。

별로 야식은 먹지 않아요.

새 단어

実家(じっか) 본가 | 帰(かえ)る 돌아 가다(오다) | 遠(とお)い 멀다 | 夜食(やしょく) 야식

STEP 4 문제를 풀어 보며 실력을 쌓아 보세요!

Track 10-04

1 녹음을 듣고 빈칸에 알맞은 말을 골라 보세요.

A	よく 자주	海外旅行に行き 해외여행을 가	筋トレをし 근력 운동을 해	ますか。 요?
B	あまり 별로	海外には行き 해외에는 가	運動はし 운동은 하	ません。 지 않아요.

2 제시어를 참고하여 다음 한국어를 일본어로 써 보세요.

❶ 자주 넷플릭스를 봐요?

▶ ______________________________ (* ネットフリックス 넷플릭스)

❷ 별로 채소는 먹지 않아요.

▶ ______________________________

❸ 여름에 선글라스는 자주 껴요?

▶ ______________________________

3 다음 대화를 완성하세요.

마루
佐藤さんの実家は__________________。
사토 씨 본가는 어디예요?

사토
京都__________________。
교토예요.

마루
そうですか。実家には__________帰り__________。
그래요? 본가에는 자주 가요?

사토
いいえ、遠くて__________帰り__________。
아니요, 멀어서 별로 가지 않아요.

Day 11 TRY해 보지, 뭐!

오늘의 표현 강한 부정 표현과 시험삼아 한번 해보는 것을 나타내는 표현을 학습해 봅시다.

Q 질문 全然(ぜんぜん) [　　　] ないです。
전혀 ~하지 않아요.

A 답변 じゃ、[　　　] てみますね。
그럼 ~해 볼게요.

STEP 1 오늘의 패턴을 만나 보세요!

질문 패턴

「全然(ぜんぜん) 젠젠」은 '전혀'라는 뜻으로 뒤에 부정문이 놓입니다. 어떤 상태가 '~하지 않다'고 말할 때 い형용사는 마지막 い를 생략하고 「くない 쿠나이」를, な형용사는 마지막 だ를 생략하고 「じゃない 쟈 나이」를 붙입니다.

답변 패턴

「じゃ 쟈」는 '그럼'이라는 뜻이고, 「…てみる 테미루」는 동사 て형에 접속하여 '~해 보다'라는 표현이 됩니다. 어떠한 행위를 시험삼아 한번 해 본다는 의미로 쓸 수 있습니다.

Track 11-01

질문 林先生(はやしせんせい)、全然(ぜんぜん)怖(こわ)くないです。
하야시 센세- 젠젠 코와쿠 나이데스
하야시 선생님, 전혀 무섭지 않아요.

답변 じゃ、相談(そうだん)してみますね。
쟈 소-단시테 미마스네
그럼 상담해 볼게요.

새 단어

先生(せんせい) 선생님 | 怖(こわ)い 무섭다 | 相談(そうだん)する 상담하다

STEP 2 다양한 상황 속에서 말해 보세요!

- 일상에서 접할 수 있는 문장을 여러 번 따라 말해 보세요.

今日(きょう)、全然(ぜんぜん)寒(さむ)くないです。

코- 젠젠 사무쿠 나이데스

오늘 전혀 안 추워요.

じゃ、出(で)かけてみますね。

쟈 데카케테 미마스네

그럼 외출해 볼게요.

あの人(ひと)、全然(ぜんぜん)親切(しんせつ)じゃないです。

아노 히토 젠젠 신세츠쟈 나이데스

저 사람, 전혀 안 친절해요.

じゃ、ほかの人(ひと)に頼(たの)んでみますね。

쟈 호카노 히토니 타논데 미마스네

그럼 다른 사람에게 부탁해 볼게요.

この料理(りょうり)、全然(ぜんぜん)難(むずか)しくないです。

코노 료-리 젠젠 무즈카시쿠 나이데스

이 요리 전혀 안 어려워요.

じゃ、私(わたし)も作(つく)ってみますね。

쟈 와타시모 츠쿳테 미마스네

그럼 저도 만들어 볼게요.

새 단어

出(で)かける 외출하다, 나가다 | 親切(しんせつ)だ 친절하다 | ほか 다른 것 | 人(ひと) 사람 | 頼(たの)む 부탁하다 | 料理(りょうり) 요리 | 難(むずか)しい 어렵다 | 作(つく)る 만들다

STEP 3 실생활에서 일본인은 이렇게 말해요!

마루

週末(しゅうまつ)にボランティアをしました。

슈-마츠니 보란티아오 시마시타

주말에 봉사 활동을 했어요.

사토

え、大変(たいへん)じゃないですか。

에 타이헨쟈 나이데스까

엇, 힘들지 않아요?

마루

全然(ぜんぜん)大変(たいへん)じゃないですよ！

젠젠 타이헨쟈 나이데스요

전혀 힘들지 않아요!

사토

じゃ、私(わたし)も今度(こんど)してみますね。

쟈 와타시모 콘도 시테 미마스네

그럼 저도 다음에 해 볼게요.

말하기 챌린지!

● 빈칸에 알맞은 말을 채운 후 대화를 완성해 보세요.

今日(きょう)、＿＿＿暑(あつ)く＿＿＿＿＿。

오늘 전혀 안 더워요.

＿＿＿出(で)かけ＿＿＿＿＿＿。

그럼 외출해 볼게요.

새 단어

ボランティア 봉사 활동 | 大変(たいへん)だ 힘들다 | 今度(こんど) 다음에 | 暑(あつ)い 덥다

STEP 4 문제를 풀어 보며 실력을 쌓아 보세요!

1 녹음을 듣고 빈칸에 알맞은 말을 골라 보세요.

A 全然(ぜんぜん) 전혀 [怖(こわ)く 무섭지 | 親切(しんせつ)じゃ 친절하지] ないです。 않아요.

B じゃ、 그럼 [相談(そうだん)し 상담 | ほかの人(ひと)に頼(たの)ん 다른 사람에게 부탁] て(で)みますね。 해 볼게요.

2 제시어를 참고하여 다음 한국어를 일본어로 써 보세요.

① 이 요리 전혀 안 어려워요.

▶ ______________________________

② 그럼 저도 만들어 볼게요.

▶ ______________________________

③ 저도 노력해 볼게요.

▶ ______________________________ (* 努力(どりょく) 노력)

3 다음 대화를 완성하세요.

마루

週末(しゅうまつ)に________________をしました。

주말에 봉사 활동을 했어요.

사토

え、________________。

엇, 힘들지 않아요?

마루

全然大変(ぜんぜんたいへん)じゃ________________！

전혀 힘들지 않아요!

사토

__________、私(わたし)も今度(こんど)し__________。

그럼 저도 다음에 해 볼게요.

Day 12 분부대로 합죠!

오늘의 표현 정중하게 부탁하는 표현과 미리 준비해 두는 상황을 나타내는 표현을 학습해 봅시다.

Q 질문 [　　　　] お願(ねが)いします。
~부탁해요.

A 답변 [　　　　] ときます。
~해 둘게요.

STEP 1 오늘의 패턴을 만나 보세요!

질문 패턴

「お願(ねが)いする 오네가이스루」는 '부탁하다'라는 뜻으로, '부탁합니다'라고 정중하게 부탁하거나 요구할 때 「お願(ねが)いします 오네가이시마스」라고 표현합니다.

답변 패턴

「…とく 토쿠」는 '~해 두다, ~해 놓다'라는 뜻으로 「…ておく 테 오쿠」의 줄임말입니다. 「…でおく 데 오쿠」의 경우에는 「…どく 도쿠」로 줄여 말합니다. 미리 준비해 두겠다는 뉘앙스를 내포합니다.

Track 12-01

질문 レビューをお願(ねが)いします。
레뷰-오 오네가이시마스
리뷰를 부탁해요.

답변 はい、書(か)いときます。
하이 카이토키마스
네, 써(작성해) 둘게요.

새 단어

レビュー 리뷰 | 書(か)く 쓰다, 작성하다

STEP 2 다양한 상황 속에서 말해 보세요!

● 일상에서 접할 수 있는 문장을 여러 번 따라 말해 보세요.

資料(しりょう)のチェックお願(ねが)いします。

시료-노 첵쿠 오네가이시마스

자료 체크 부탁해요.

はい、読(よ)んどきます。

하이 욘도키마스

네, 읽어 둘게요.

帰(かえ)りにお弁当(べんとう)をお願(ねが)いします。

카에리니 오벤토-오 오네가이시마스

돌아오는 길에 도시락을 부탁해요.

はい、買(か)っときます。

하이 캇토키마스

네, 사 둘게요.

オフィスの掃除(そうじ)をお願(ねが)いします。

오휘스노 소-지오 오네가이시마스

사무실 청소를 부탁해요.

後(あと)でしときます。

아토데 시토키마스

나중에 해 둘게요.

새 단어

資料(しりょう) 자료 | チェック 체크, 확인 | 読(よ)む 읽다 | 帰(かえ)り 돌아오는 길 | お弁当(べんとう) 도시락 | 買(か)う 사다 | オフィス 사무실, 오피스 | 掃除(そうじ) 청소 | 後(あと)で 나중에

STEP 3 실생활에서 일본인은 이렇게 말해요!

마루

井上(いのうえ)さん来(き)ていますか。

이노우에상 키테 이마스까

이노우에 씨 와 있나요?

사토

まだです。

마다데스

아직이에요.

마루

早(はや)く彼(かれ)に連絡(れんらく)お願(ねが)いします。

하야쿠 카레니 렌라쿠 오네가이시마스

빨리 그에게 연락 부탁해요.

사토

LINE(ライン)送(おく)っときます。

라잉 오큇토키마스

라인 보내 둘게요.

Tip

한국에서는 메신저로 카카오톡을 주로 사용하지만 일본에서는 라인(LINE)을 사용해요.

말하기 챌린지!

- 빈칸에 알맞은 말을 채운 후 대화를 완성해 보세요.

レビューを＿＿＿＿＿＿＿＿。

리뷰를 부탁해요.

はい、後(あと)で書(か)い＿＿＿＿＿＿＿。

네, 나중에 써(작성해) 둘게요.

새 단어

来(く)る 오다 | まだ 아직 | 早(はや)く 빨리 | 連絡(れんらく) 연락 | LINE(ライン) 라인(모바일 메신저 앱)

STEP 4 문제를 풀어 보며 실력을 쌓아 보세요!

Track 12-04

1 녹음을 듣고 빈칸에 알맞은 말을 골라 보세요.

A

資料(しりょう)のチェック 자료 체크	帰(かえ)りにお弁当(べんとう)を 돌아오는 길에 도시락을	お願(ねが)いします。 부탁해요.

B

はい、読(よ)ん 네, 읽어	はい、買(か)っ 네, 구매	と(ど)きます。 (해) 둘게요.

2 제시어를 참고하여 다음 한국어를 일본어로 써 보세요.

❶ 지금 바로 부탁해요.

▶ ________________________________ (* 今(いま)すぐ 지금 바로, 즉시)

❷ 사무실 청소를 부탁해요.

▶ ________________________________

❸ 그에게 연락해 둘게요.

▶ ________________________________

3 다음 대화를 완성하세요.

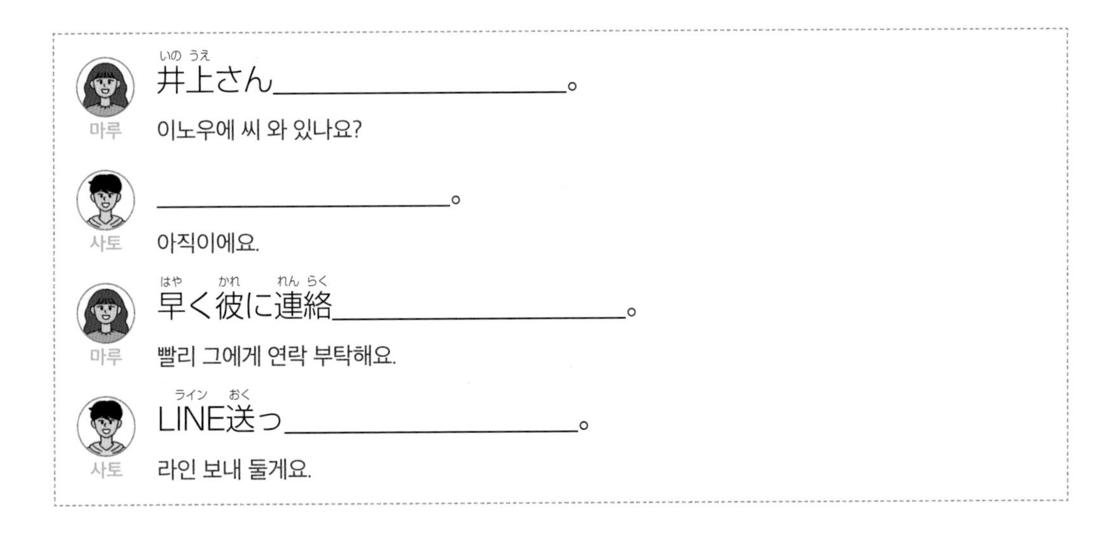

Day 13

마음대로 하면 안 돼

오늘의 표현 허가 및 양해를 구하는 표현과 금지 표현을 학습해 봅시다.

Q 질문 [ ] てもいいですか。

~해도 되나요?

A 답변 [ ] ちゃだめです。

~하면 안 돼요.

STEP 1 오늘의 패턴을 만나 보세요!

질문 패턴

「…てもいい 테모 이-」는 '~해도 된다'라는 뜻으로 동사 て형에 접속합니다. '~해요?'라는 뜻의 「ですか 데스까」를 붙이면 '~해도 되나요?'라는 뜻으로, 상대방에게 허가나 양해를 구하는 표현이 됩니다.

답변 패턴

「だめです 다메데스」는 '안 돼요'라는 뜻입니다. 동사 て형과 연결하여 「…ちゃ(じゃ)だめです 챠(쟈) 다메데스」라고 쓰면 '~하면 안 돼요'라는 금지를 나타내는 표현이 됩니다. 동사 て형 중 て로 끝나는 것은 「…ちゃだめです 챠 다메데스」, で로 끝나는 것은 「…じゃだめです 쟈 다메데스」가 됩니다.

Track 13-01

질문 ここに荷物(にもつ)を置(お)いてもいいですか。

코코니 니모츠오 오이테모 이-데스까

여기에 짐을 둬도 되나요?

답변 ここに置(お)いちゃだめです。

코코니 오이챠 다메데스

여기에 두면 안 돼요.

새 단어

だめだ 안 되다 | ここ 여기, 이곳 | 荷物(にもつ) 짐 | 置(お)く 두다, 놓다

STEP 2 다양한 상황 속에서 말해 보세요!

● 일상에서 접할 수 있는 문장을 여러 번 따라 말해 보세요.

この本(ほん)、捨(す)てもいいですか。
코노 홍 스테테모 이-데스까
이 책, 버려도 되나요?

捨(す)てちゃだめです。
스테챠 다메데스
버리면 안 돼요.

お酒(さけ)飲(の)んでもいいですか。
오사케 논데모 이-데스까
술 마셔도 되나요?

飲(の)んじゃだめです。
논쟈 다메데스
마시면 안 돼요.

ここで写真(しゃしん)撮(と)ってもいいですか。
코코데 샤신 톳테모 이-데스까
여기에서 사진 찍어도 되나요?

写真(しゃしん)撮(と)っちゃだめです。
샤신 톳챠 다메데스
사진 찍으면 안 돼요.

새 단어

本(ほん) 책 | 捨(す)てる 버리다 | お酒(さけ) 술 | 撮(と)る 찍다, 촬영하다

STEP 3 실생활에서 일본인은 이렇게 말해요!

Track 13-03

마루

これ食(た)べてもいいですか。
코레 타베테모 이-데스까
이거 먹어도 되나요?

사토

食(た)べちゃだめです。
타베챠 다메데스
먹으면 안 돼요.

마루

なんでですか。
난데데스까
왜요?

사토

賞味期限(しょうみきげん)が切(き)れています。
쇼-미키겡가 키레테 이마스
유통 기한이 지났어요.

말하기 챌린지!

● 빈칸에 알맞은 말을 채운 후 대화를 완성해 보세요.

このコーヒー、捨(す)て＿＿＿＿＿＿＿＿＿＿＿＿＿＿＿＿。
이 커피 버려도 되나요?

捨(す)て＿＿＿＿＿＿＿＿＿＿＿＿＿＿＿＿。
버리면 안 돼요.

새 단어

なんで 왜, 어째서 | 賞味期限(しょうみきげん)が切(き)れる 유통 기한이 지나다

STEP 4 문제를 풀어 보며 실력을 쌓아 보세요!

Track 13-04

1 녹음을 듣고 빈칸에 알맞은 말을 골라 보세요.

A

ここに荷物(にもつ)を置(お)い 여기에 짐을 둬	ここで写真撮(しゃしんと)っ 여기에서 사진 찍어	てもいいですか。 도 되나요?

B

ここに置(お)い 여기에 두	写真撮(しゃしんと)っ 사진 찍으	ちゃだめです。 면 안 돼요.

2 제시어를 참고하여 다음 한국어를 일본어로 써 보세요.

❶ 오늘 술 마셔도 되나요?

▶ ______________________________

❷ 마시면 안 돼요.

▶ ______________________________

❸ 이거 입어 봐도 되나요?

▶ ______________________________ (* 着(き)る (옷을) 입다)

3 다음 대화를 완성하세요.

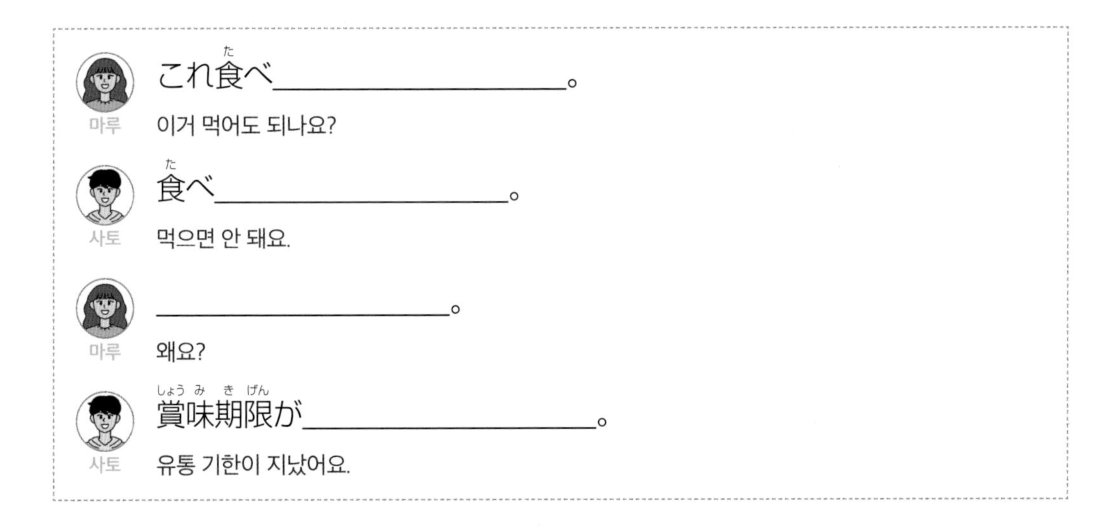

Day 14
아뇨! 아직 안 봤어요

오늘의 표현 어떠한 동작이나 상황이 완료됐는지 묻고 이에 답하는 표현을 학습해 봅시다.

Q 질문 [　　　　] ましたか。
~했어요?

A 답변 まだ [　　　　] てないです。
아직 ~하지 않았어요.

STEP 1 오늘의 패턴을 만나 보세요!

질문 패턴

「…ましたか 마시타까」는 '~했어요?'라는 뜻으로 어떤 동작이나 상황이 완료되었는지 물을 때 쓰는 표현입니다.

답변 패턴

어떤 동작이나 상황이 아직 완료되지 않았다고 말할 때는 「まだ…てないです 마다 ~테나이데스」라고 표현합니다. 「まだ 마다」는 '아직'이라는 뜻이고 「…てないです 테나이데스」는 '~하지 않았어요'라는 뜻입니다.

Track 14-01

질문 ご飯(はん)は食(た)べましたか。
고항와 타베마시타까
밥은 먹었어요?

답변 まだ食(た)べてないです。
마다 타베테나이데스
아직 먹지 않았어요.

새 단어

ご飯(はん) 밥, 식사

STEP 2 다양한 상황 속에서 말해 보세요!

● 일상에서 접할 수 있는 문장을 여러 번 따라 말해 보세요.

レポートは書(か)きましたか。
레포-토와 카키마시타까
리포트는 작성했어요?

まだ書(か)いてないです。
마다 카이테나이데스
아직 작성하지 않았어요.

会議(かいぎ)は終(お)わりましたか。
카이기와 오와리마시타까
회의는 끝났어요?

まだ終(お)わってないです。
마다 오왓테나이데스
아직 끝나지 않았어요.

ジムは登録(とうろく)しましたか。
지무와 토-로쿠 시마시타까
헬스장은 등록했어요?

まだしてないです。
마다 시테나이데스
아직 하지 않았어요.

새 단어

レポート 리포트 | 会議(かいぎ) 회의 | 終(お)わる 끝나다 | ジム 헬스장 | 登録(とうろく) 등록

STEP 3 실생활에서 일본인은 이렇게 말해요!

마루

昨日(きのう)、ドラマ見(み)ましたか。
키노- 도라마 미마시타까
어제, 드라마 봤어요?

사토

まだ見(み)てないです。
마다 미테나이데스
아직 안 봤어요.

마루

展開(てんかい)がすごかったですよ！
텡카이가 스고캇타데스요
전개가 굉장했어요!

사토

あ、ネタバレ禁止(きんし)です！
아 네타바레킨시데스
아, 스포 금지예요!

말하기 챌린지!

● 빈칸에 알맞은 말을 채운 후 대화를 완성해 보세요.

お昼(ひる)は食(た)べ＿＿＿＿＿＿＿＿。
점심 먹었어요?

＿＿＿＿食(た)べ＿＿＿＿＿＿＿＿。
아직 안 먹었어요.

새 단어

ドラマ 드라마 | 展開(てんかい) 전개 | すごい 굉장하다 | ネタバレ禁止(きんし) 스포 금지 | お昼(ひる) 점심 (식사)

STEP 4 문제를 풀어 보며 실력을 쌓아 보세요!

Track 14-04

1 녹음을 듣고 빈칸에 알맞은 말을 골라 보세요.

A	レポートは書(か)き 리포트는 작성했	会議(かいぎ)は終(お)わり 회의는 끝났	ましたか。 어요?

B	まだ 아직	書(か)い 작성하	終(お)わっ 끝나	てないです。 지 않았어요.

2 제시어를 참고하여 다음 한국어를 일본어로 써 보세요.

❶ 어제 이 기사 봤어요?

▶ ______________________________ (* 記事(きじ) 기사)

❷ 헬스장은 등록했어요?

▶ ______________________________

❸ 아직 등록하지 않았어요.

▶ ______________________________

3 다음 대화를 완성하세요.

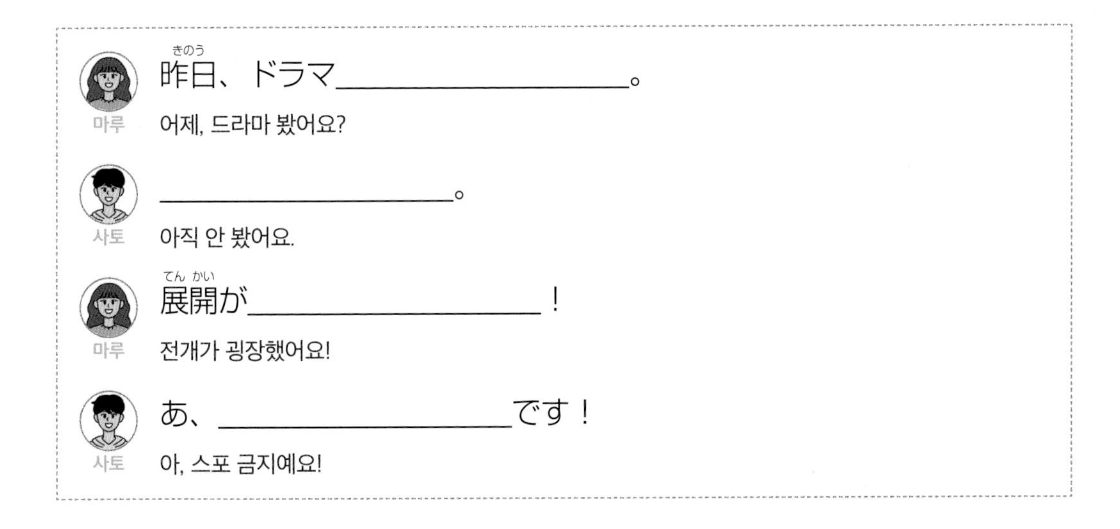

Day 15

우선순위가 있는 법

오늘의 표현 부탁 및 지시 표현과 동작의 순서에 따라 나열하는 표현을 학습해 봅시다.

Q 질문 [　　　] てください。
~해 주세요.

A 답변 [　　　] てから [　　　] ます。
A하고 나서 B할게요.

STEP 1 오늘의 패턴을 만나 보세요!

질문 패턴

「ください 쿠다사이」는 '주세요'라는 뜻으로, 동사 て형에 접속하면 '~해 주세요'라는 표현이 됩니다. 상대방에게 부탁, 지시, 의뢰할 때 사용합니다.

답변 패턴

A라는 동작을 먼저 한 뒤, 지시나 부탁 받은 B라는 동작을 하겠다고 대답할 때 「AてからBます A 테카라 B 마스」라고 표현하면 됩니다. 이때 앞의 동사는 て형에, 뒤의 동사는 ます형에 접속합니다.

Track 15-01

질문 机(つくえ)の上(うえ)を片付(かたづ)けてください。
츠쿠에노 우에오 카타즈케테 쿠다사이
책상 위를 정리해 주세요.

답변 本(ほん)を読(よ)んでから片付(かたづ)けます。
홍오 욘데카라 카타즈케마스
책을 읽고 나서 정리할게요.

새 단어

片付(かたづ)ける 정리하다

STEP 2 다양한 상황 속에서 말해 보세요!

• 일상에서 접할 수 있는 문장을 여러 번 따라 말해 보세요.

野菜(やさい)を切(き)ってください。

야사이오 킷테 쿠다사이

채소를 잘라주세요.

手(て)を洗(あら)ってから切(き)ります。

테오 아랏테카라 키리마스

손을 씻고 나서 자를게요.

電話(でんわ)してください。

뎅와시테 쿠다사이

전화해 주세요.

仕事(しごと)が終(お)わってから電話(でんわ)します。

시고토가 오왓테카라 뎅와시마스

일이 끝나고 나서 전화할게요.

映画(えいが)のチケットを予約(よやく)してください。

에-가노 치켓토오 요야쿠시테 쿠다사이

영화 티켓을 예매해 주세요.

まずログインしてから予約(よやく)します。

마즈 로구인시테까라 요야쿠시마스

우선 로그인하고 나서 예매할게요.

새 단어

切(き)る 자르다 | 手(て) 손 | 洗(あら)う 씻다 | 電話(でんわ)する 전화하다 | 仕事(しごと) 일, 업무 | チケット 티켓, 표 | 予約(よやく)する 예매하다, 예약하다 | まず 우선 | ログイン 로그인

STEP 3 실생활에서 일본인은 이렇게 말해요!

마루

佐藤(さとう)さん、具合(ぐあい)悪(わる)いですか。

사토-상 구아이 와루이데스까

사토 씨, 몸이 안 좋아요?

사토

風邪(かぜ)みたいです。

카제미타이데스

감기인 것 같아요.

마루

ぐっすり寝(ね)てください。

굿스리 네테 쿠다사이

푹 주무세요.

사토

まず薬(くすり)を飲(の)んでから寝(ね)ますね。

마즈 쿠스리오 논데카라 네마스네

일단 약을 먹고 나서 잘게요.

말하기 챌린지!

- 빈칸에 알맞은 말을 채운 후 대화를 완성해 보세요.

机(つくえ)の上(うえ)を片付(かたづ)け__________。

책상 위를 정리해 주세요.

ご飯(はん)を食(た)べ________片付(かたづ)け______。

밥을 먹고 나서 정리할게요.

새 단어

具合(ぐあい)が悪(わる)い 몸이 안 좋다, 아프다 | 風邪(かぜ) 감기 | ぐっすり 푹 | 寝(ね)る 자다 | 薬(くすり)を飲(の)む 약을 먹다

STEP 4 문제를 풀어 보며 실력을 쌓아 보세요!

Track 15-04

1 녹음을 듣고 빈칸에 알맞은 말을 골라 보세요.

A [野菜(やさい)を切(き)っ 채소를 잘라 | 電話(でんわ)し 전화해] てください。 주세요.

B [手(て)を洗(あら)っ 손을 씻고 | 仕事(しごと)が終(お)わっ 일이 끝나고] てから 나서 [切(き)り 자를 | 電話(でんわ)し 전화할] ます。 게요.

2 제시어를 참고하여 다음 한국어를 일본어로 써 보세요.

❶ 영화 티켓을 예매해 주세요.

▶ ____________________

❷ 우선 일이 끝나고 나서 예매할게요.

▶ ____________________

❸ 언제든지 연락해 주세요.

▶ ____________________ (* いつでも 언제든지)

3 다음 대화를 완성하세요.

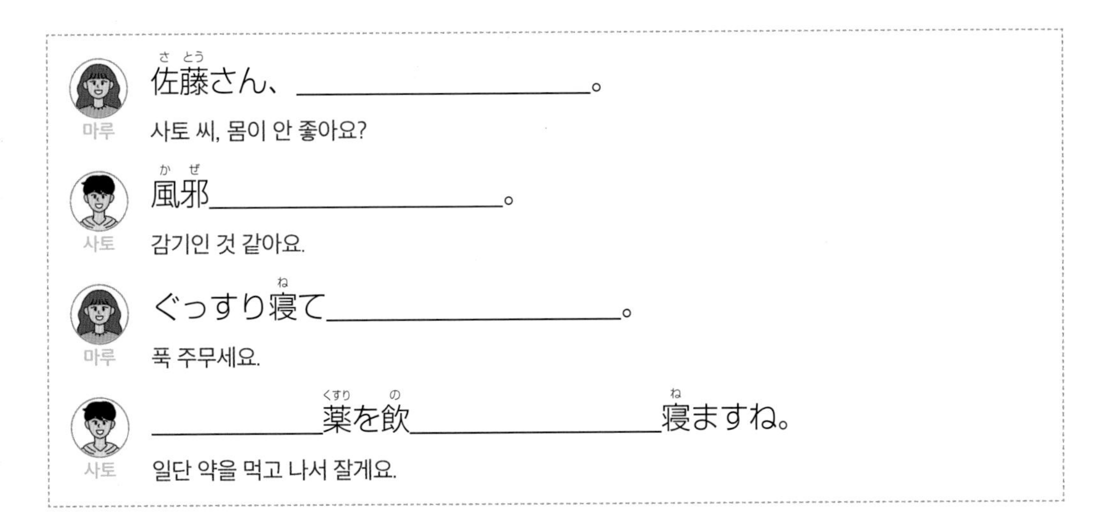

마루: 佐藤(さとう)さん、____________。
사토 씨, 몸이 안 좋아요?

사토: 風邪(かぜ)____________。
감기인 것 같아요.

마루: ぐっすり寝(ね)て____________。
푹 주무세요.

사토: ______薬(くすり)を飲(の)______寝(ね)ますね。
일단 약을 먹고 나서 잘게요.

Day 16 경험은 자산이다

오늘의 표현 경험 유무를 묻고 답하는 표현을 학습해 봅시다.

Q 질문 [ ]たことありますか。
~한 적 있어요?

A 답변 [ ]たことありません。
~한 적 없어요.

STEP 1 오늘의 패턴을 만나 보세요!

질문 패턴

「…たことある 타 코토 아루」는 '~한 적 있다'라는 뜻으로 과거의 경험을 나타내는 표현입니다. 상대방에게 '~한 적 있어요?'라고 경험이 있는지 물어볼 때는 「…たことありますか 타 코토 아리마스까」라고 표현하면 됩니다.

답변 패턴

경험이 없을 때에는 「…たことありません 타 코토 아리마셍」이라고 대답하면 됩니다. 반대로 경험한 적이 있으면 '있어요'라는 뜻의 「あります 아리마스」를 넣어서 「…たことあります 타 코토 아리마스」라고 말하면 됩니다.

질문 Track 16-01
芸能人(げいのうじん)に会(あ)ったことありますか。
게-노-진니 앗타 코토 아리마스까
연예인을 만난 적 있어요?

답변
まだ会(あ)ったことありません。
마다 앗타 코토 아리마셍
아직 만난 적 없어요.

새 단어

芸能人(げいのうじん) 연예인

STEP 2 다양한 상황 속에서 말해 보세요!

- 일상에서 접할 수 있는 문장을 여러 번 따라 말해 보세요.

宝(たから)くじを買(か)ったことありますか。

타카라쿠지오 캇타 코토 아리마스까

복권을 산 적 있어요?

いいえ、買(か)ったことありません。

이-에 캇타 코토 아리마셍

아니요, 산 적 없어요.

大阪(おおさか)に行(い)ったことありますか。

오-사카니 잇타 코토 아리마스까

오사카에 가 본 적 있어요?

日本(にほん)には行(い)ったことありません。

니혼니와 잇타 코토 아리마셍

일본에는 가 본 적 없어요.

会社(かいしゃ)に遅刻(ちこく)したことありますか。

카이샤니 치코쿠 시타 코토 아리마스까

회사에 지각한 적 있어요?

一度(いちど)もしたことありません。

이치도모 시타 코토 아리마셍

한 번도 한 적 없어요.

새 단어

宝(たから)くじ 복권 | 大阪(おおさか) 오사카(일본 지역명) | 遅刻(ちこく)する 지각하다 | 一度(いちど) 한 번

STEP 3 실생활에서 일본인은 이렇게 말해요!

마루

このカメラアプリ使(つか)ったことありますか。

코노 카메라아푸리 츠캇타 코토 아리마스까

이 카메라 앱 사용해 본 적 있어요?

사토

いいえ、使(つか)ったことありません。

이-에 츠캇타 코토 아리마셍

아니요, 사용해 본 적 없어요.

「めっちゃ 멧챠」는 '엄청, 매우'라는 뜻으로 무언가를 강조할 때 사용하는 표현이에요. 「とても 토테모」의 회화체로 젊은층이 많이 쓰는 편이에요.

마루

写(うつ)りがめっちゃいいですよ。

우츠리가 멧챠 이-데스요

사진이 엄청 잘 나와요.

사토

じゃ、ダウンロードしてみますね。

쟈 다운로-도시테 미마스네

그럼 다운로드해 볼게요.

말하기 챌린지!

- 빈칸에 알맞은 말을 채운 후 대화를 완성해 보세요.

この料理(りょうり)を食(た)べ＿＿＿＿＿＿＿＿＿＿。

이 요리 먹어본 적 있어요?

まだ食(た)べ＿＿＿＿＿＿＿＿＿＿。

아직 먹어본 적 없어요.

새 단어

カメラアプリ 카메라 앱 | 写(うつ)りがいい 사진이 잘 나오다 | ダウンロードする 다운로드하다

STEP 4 문제를 풀어 보며 실력을 쌓아 보세요!

Track 16-04

1 녹음을 듣고 빈칸에 알맞은 말을 골라 보세요.

A 宝(たから)くじを買(か)っ 복권을 산 | 会社(かいしゃ)に遅刻(ちこく)し 회사에 지각한 　たことありますか。 적 있어요?

B はい、買(か)っ 네, 산 | はい、遅刻(ちこく)し 네, 지각한 　たことあります。 적 있어요.

2 제시어를 참고하여 다음 한국어를 일본어로 써 보세요.

❶ 연예인을 만난 적 있어요?

▶ ______________________________

❷ 아직 만난 적 없어요.

▶ ______________________________

❸ 홋카이도에 가 본 적 있어요?

▶ ______________________________ (* 北海道(ほっかいどう) 홋카이도)

3 다음 대화를 완성하세요.

마루 このカメラアプリ______________。
이 카메라 앱 사용해 본 적 있어요?

사토 いいえ、______________。
아니요, 사용해 본 적 없어요.

마루 ______________めっちゃいいですよ。
사진이 엄청 잘 나와요.

사토 じゃ、ダウンロード______________。
그럼 다운로드해 볼게요.

Day 17

과욕은 금물

오늘의 표현 과도한 정도 표현과 충고 및 조언하는 표현을 학습해 봅시다.

Q 질문 [   ] すぎました。
너무 ~했어요.

A 답변 [   ] た方(ほう)がいいですよ。
~하는 게 좋아요.

STEP 1 오늘의 패턴을 만나 보세요!

질문 패턴

「…すぎる 스기루」는 '너무 ~하다, 지나치게 ~하다'라는 뜻으로 정도가 지나침을 나타내는 표현입니다. '너무 ~했어요, 지나치게 ~했어요'라고 과거의 행동이 지나쳤다고 말할 때는 「…すぎました 스기마시타」라고 하면 됩니다.

답변 패턴

상대방에게 어떤 행동을 하는 것이 좋겠다고 충고나 조언하는 경우, 동사 た형에 「…方(ほう)がいいです 호-가 이-데스」를 붙여 표현하면 됩니다. 끝에 「よ 요」를 붙이면 자신의 의견을 주장하거나 강조하는 뉘앙스를 나타냅니다.

Track 17-01

질문 食(た)べすぎました。
타베스기마시타
과식했어요.

답변 胃薬(いぐすり)を飲(の)んだ方(ほう)がいいですよ。
이구스리오 논다 호-가 이-데스요
소화제를 먹는 게 좋아요.

새 단어

胃薬(いぐすり) 소화제

STEP 2 다양한 상황 속에서 말해 보세요!

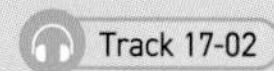

- 일상에서 접할 수 있는 문장을 여러 번 따라 말해 보세요.

寝(ね)すぎました。
네스기마시타
너무 잤어요.

ストレッチをした方(ほう)がいいですよ。
스토렛치오 시타 호-가 이-데스요
스트레칭을 하는 게 좋아요.

怒(おこ)りすぎました。
오코리스기마시타
너무 화냈어요.

謝(あやま)った方(ほう)がいいですよ。
아야맛타 호-가 이-데스요
사과하는 게 좋아요.

買(か)いすぎました。
카이스기마시타
너무 (많이) 샀어요.

節約(せつやく)した方(ほう)がいいですよ。
세츠야쿠 시타 호-가 이-데스요
절약하는 게 좋아요.

새 단어

ストレッチ 스트레칭 | 怒(おこ)る 화내다 | 謝(あやま)る 사과하다 | 節約(せつやく)する 절약하다

STEP 3 실생활에서 일본인은 이렇게 말해요!

마루

た なか　　　かお いろ　わる
田中さん、顔色が悪いですね。
타나카상　카오이로가　와루이데스네
다나카 씨, 안색이 안 좋네요.

다나카

さい きん　や
最近、痩せすぎました。
사이킹　야세스기마시타
요즘 너무 살이 빠졌어요.

마루

からだ　き　　　　ほう
体に気をつけた方がいいですよ。
카라다니　키오　츠케타　호-가　이-데스요
건강 조심하는 게 좋아요.

다나카

き
ありがとうございます。気をつけます。
아리가토-고자이마스　키오　츠케마스
고마워요. 조심할게요.

말하기 챌린지!

- 빈칸에 알맞은 말을 채운 후 대화를 완성해 보세요.

の　かい　とき　た
飲み会の時に食べ＿＿＿＿＿＿＿＿。
회식 때 과식했어요.

い ぐすり　の
胃薬を飲ん＿＿＿＿＿＿＿＿＿＿。
소화제를 먹는 게 좋아요.

새 단어

顔色が悪い(かおいろがわるい) 안색이 안 좋다 | 最近(さいきん) 요즘, 최근 | 痩せる(やせる) 살이 빠지다 | 体(からだ) 몸, 건강 | 気をつける(きをつける) 조심하다 | 時(とき) 때

STEP 4 문제를 풀어 보며 실력을 쌓아 보세요!

Track 17-04

1 녹음을 듣고 빈칸에 알맞은 말을 골라 보세요.

A 寝(ね) 잤 | 買(か)い 샀 すぎました。 너무 ~어요.

B ストレッチをし 스트레칭을 하 | 節約(せつやく)し 절약하 た方(ほう)がいいですよ。 는 게 좋아요.

2 제시어를 참고하여 다음 한국어를 일본어로 써 보세요.

❶ 너무 화를 냈어요.

▶ ______________________________

❷ 빨리 사과하는 게 좋아요.

▶ ______________________________

❸ 빨리 출발하는 게 좋아요.

▶ ______________________________ (* 出発(しゅっぱつ) 출발)

3 다음 대화를 완성하세요.

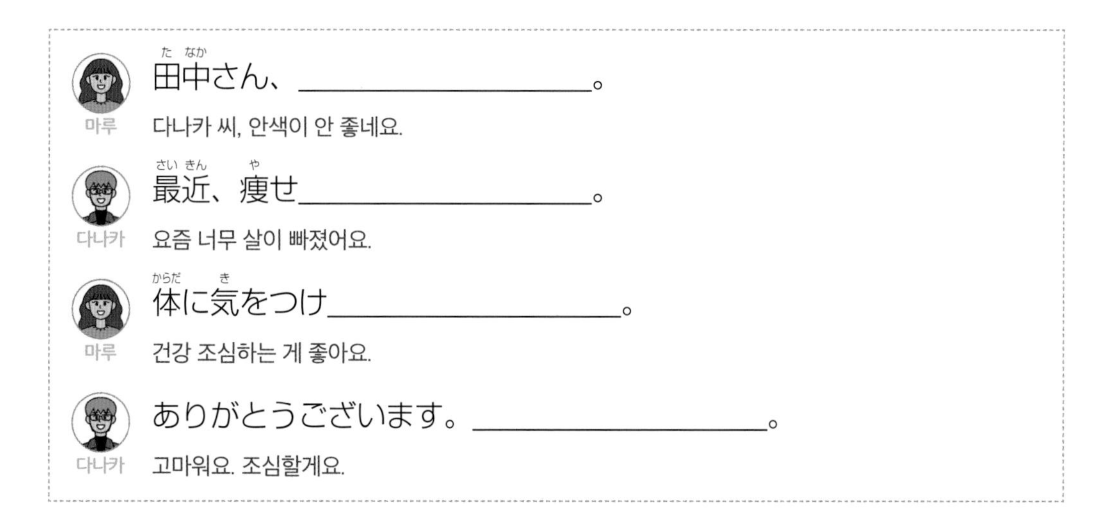

마루 田中(たなか)さん、____________。
다나카 씨, 안색이 안 좋네요.

다나카 最近(さいきん)、痩(や)せ____________。
요즘 너무 살이 빠졌어요.

마루 体(からだ)に気(き)をつけ____________。
건강 조심하는 게 좋아요.

다나카 ありがとうございます。____________。
고마워요. 조심할게요.

Day 18 생각만 말고 실천을

오늘의 표현 희망을 나타내는 표현과 제안 및 권유하는 표현을 학습해 봅시다.

Q 질문 [　　　　] たいです。
~하고 싶어요.

A 답변 [　　　　] たらどうですか。
~하는 게 어때요?

STEP 1 오늘의 패턴을 만나 보세요!

질문 패턴

동사 ます형에 「…たい 타이」를 붙이면 '~하고 싶다'라는 뜻으로 자신의 희망을 말할 때 쓰는 표현입니다. 여기서 문장 끝에 「です 데스」를 붙이면 '~하고 싶어요'라는 뜻으로 희망이나 욕구를 정중하게 표현할 수 있습니다.

답변 패턴

상대방에게 '~하는 게 어때요?'라고 제안이나 권유할 때, 동사 た형에 「ら 라」를 붙이고 '어때요?'라는 뜻의 「どうですか 도-데스까」를 연결합니다.

Track 18-01

질문 何(なに)か食(た)べたいです。
나니카 타베타이데스
뭔가 먹고 싶어요.

답변 コンビニに行(い)ってきたらどうですか。
콤비니니 잇테키타라 도-데스까
편의점에 갔다 오는 게 어때요?

새 단어

何(なに)か 뭔가, 무언가 | コンビニ 편의점 | 行(い)ってくる 갔다 오다, 다녀오다

STEP 2 다양한 상황 속에서 말해 보세요!

● 일상에서 접할 수 있는 문장을 여러 번 따라 말해 보세요.

洋服を買いたいです。
요-후쿠오 카이타이데스
옷을 사고 싶어요.

週末に買い物したらどうですか。
슈-마츠니 카이모노시타라 도-데스까
주말에 쇼핑하는 게 어때요?

休みたいです。
야스미타이데스
쉬고 싶어요.

有休をとったらどうですか。
유-큐-오 톳타라 도-데스까
연차를 내면 어때요?

「有休 유-큐-」는 유급휴가 「有給休暇 유-큐-큐-카」의 줄임말이에요. 반차는 반일휴가 「半日休暇 한니치큐-카」를 줄여 「半休 한큐-」라고 해요.

広い家に住みたいです。
히로이 이에니 스미타이데스
넓은 집에 살고 싶어요.

引っ越したらどうですか。
힉코시타라 도-데스까
이사하는 게 어때요?

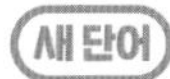

洋服 옷 | 休む 쉬다 | 有休をとる 연차를 내다 | 広い 넓다 | 住む 살다

STEP 3 실생활에서 일본인은 이렇게 말해요!

마루

佐藤(さとう)さん、何(なに)かありましたか。

사토-상 나니카 아리마시타까

사토 씨, 무슨 일 있었어요?

사토

彼女(かのじょ)と仲直(なかなお)りしたいです。

카노죠토 나카나오리 시타이데스

여자 친구랑 화해하고 싶어요.

마루

素直(すなお)に気持(きも)ちを伝(つた)えたらどうですか。

스나오니 키모치오 츠타에타라 도-데스까

솔직하게 마음을 전하는 게 어때요?

사토

そうします！

소-시마스

그렇게 할게요!

말하기 챌린지!

● 빈칸에 알맞은 말을 채운 후 대화를 완성해 보세요.

何(なに)か食(た)べ＿＿＿＿＿＿＿＿。

뭔가 먹고 싶어요.

外食(がいしょく)し＿＿＿＿＿＿＿＿＿＿＿＿。

외식하는 게 어때요?

새 단어

仲直(なかなお)りする 화해하다 | 素直(すなお)に 솔직하게, 솔직히 | 気持(きも)ち 마음, 기분 | 伝(つた)える 전하다

STEP 4 문제를 풀어 보며 실력을 쌓아 보세요!

Track 18-04

1 녹음을 듣고 빈칸에 알맞은 말을 골라 보세요.

A | 洋服(ようふく)を買(か)い 옷을 사고 | 休(やす)み 쉬고 | たいです。 싶어요.

B | 週末(しゅうまつ)に買(か)い物(もの)し 주말에 쇼핑하 | 有休(ゆうきゅう)をとっ 연차를 내 | たらどうですか。 는 게 어때요?

2 제시어를 참고하여 다음 한국어를 일본어로 써 보세요.

❶ 넓은 집에 살고 싶어요.

▶ ______________________________

❷ 이사하는 게 어때요?

▶ ______________________________

❸ 세계일주를 하고 싶어요.

▶ ______________________________ (* 世界一周(せかいいっしゅう) 세계일주)

3 다음 대화를 완성하세요.

마루 佐藤(さとう)さん、____________。
사토 씨, 무슨 일 있었어요?

사토 彼女(かのじょ)と仲直(なかなお)りし____________。
여자 친구랑 화해하고 싶어요.

마루 素直(すなお)に気持(きも)ちを伝(つた)え____________。
솔직하게 마음을 전하는 게 어때요?

사토 ____________！
그렇게 할게요!

Day 19

한두 가지가 아니지

오늘의 표현 의견을 묻는 표현과 동작을 나열하는 표현을 학습해 봅시다.

Q 질문 [　　　] ますか。
~해요?

A 답변 [　　　] たり [　　　] たりします。
~하거나 ~하거나 해요.

STEP 1 오늘의 패턴을 만나 보세요!

질문 패턴

「…ます 마스」는 '~해요'라는 표현으로, 동사 ます형에 접속합니다. 상대방에게 질문할 때는 문장 끝에 「か 까」를 붙여서 「…ますか 마스까」라고 표현하며 '~해요?, ~하나요?'라는 의미를 나타냅니다.

답변 패턴

「AたりBたりします A타리 B타리 시마스」는 'A하거나 B하거나 해요'라는 뜻으로 여러 동작 중 몇 가지 예를 들어 말할 때 쓰는 표현입니다. 동사 た형에 접속합니다.

Track 19-01

질문 週末(しゅうまつ)は何(なに)をしますか。
슈-마츠와 나니오 시마스까
주말에는 무엇을 하나요?

답변 カフェ巡(めぐ)りをしたり、お散歩(さんぽ)をしたりします。
카훼메구리오 시타리 오삼포오 시타리 시마스
카페 투어를 하거나 산책을 하거나 해요.

새 단어

カフェ 카페 | 巡(めぐ)り 투어, 순례(여러 곳을 돌며 구경하는 것) | お散歩(さんぽ) 산책

STEP 2 다양한 상황 속에서 말해 보세요!

- 일상에서 접할 수 있는 문장을 여러 번 따라 말해 보세요.

普段(ふだん)、どこで服(ふく)を買(か)いますか。
후단 도코데 후쿠오 카이마스까
평소 어디서 옷을 사요?

ネットで買(か)ったり、デパートに行(い)ったりします。
넷토데 캇타리 데파-토니 잇타리 시마스
인터넷에서 사거나 백화점에 가거나 해요.

どんな運動(うんどう)をしますか。
돈나 운도-오 시마스까
어떤 운동을 하나요?

筋(きん)トレをしたり、ジョギングしたりします。
킨토레오 시타리 죠깅구 시타리 시마스
웨이트를 하거나 조깅하거나 해요.

寝(ね)る前(まえ)に何(なに)をしますか。
네루 마에니 나니오 시마스까
자기 전에 무엇을 하나요?

Tip 「동사 기본형+前(まえ) 마에」는 시간상으로 '~하기 전'을 나타내요.

ゲームをしたり、音楽(おんがく)を聴(き)いたりします。
게-무오 시타리 옹가쿠오 키이타리 시마스
게임을 하거나 음악을 듣거나 해요.

새 단어

普段(ふだん) 평소 | ネット 인터넷 | デパート 백화점 | ジョギング 조깅 | ゲーム 게임 | 音楽(おんがく) 음악 | 聴(き)く 듣다

STEP 3 실생활에서 일본인은 이렇게 말해요!

しゅうまつ　よてい
週末に予定ありますか。
슈-마츠니 요테- 아리마스까
주말에 일정 있어요?

よてい
いいえ、予定ないですよ。
이-에 요테- 나이데스요
아니요, 일정 없어요.

やくそく　とき　なに
約束がない時は何をしますか。
약소쿠가 나이 토키와 나니오 시마스까
약속이 없을 때는 뭘 하나요?

いえ　の
家でビールを飲んだり、ゴロゴロしたりします。
이에데 비-루오 논다리 고로고로 시타리 시마스
집에서 맥주를 마시거나 뒹굴뒹굴하거나 해요.

말하기 챌린지!

- 빈칸에 알맞은 말을 채운 후 대화를 완성해 보세요.

しごと　あと　なに
仕事の後、何をし＿＿＿＿＿＿。
퇴근 후에 무엇을 하나요?

いえ　やす　さんぽ
家で休ん＿＿＿＿、お散歩をし＿＿＿＿＿＿＿。
집에서 쉬거나 산책을 하거나 해요.

새 단어

予定(よてい) 일정, 예정 | ビール 맥주 | ゴロゴロする 뒹굴뒹굴하다 | 仕事の後(しごとのあと) 퇴근 후

STEP 4 문제를 풀어 보며 실력을 쌓아 보세요!

Track 19-04

1 녹음을 듣고 빈칸에 알맞은 말을 골라 보세요.

A

普段、どこで服を買い 평소 어디서 옷을 사	どんな運動をし 어떤 운동을 하	ますか。 나요?

B

ネットで買っ 인터넷에서 사	筋トレをし 웨이트를 하	たり 거나	デパートに行っ 백화점에 가	ジョギングし 조깅하	たりします。 거나 해요.

2 제시어를 참고하여 다음 한국어를 일본어로 써 보세요.

❶ 자기 전에 무엇을 하나요?

▶ ____________________

❷ 게임을 하거나 음악을 듣거나 해요.

▶ ____________________

❸ 데이트 때 무엇을 하나요?

▶ ____________________ (* デート 데이트)

3 다음 대화를 완성하세요.

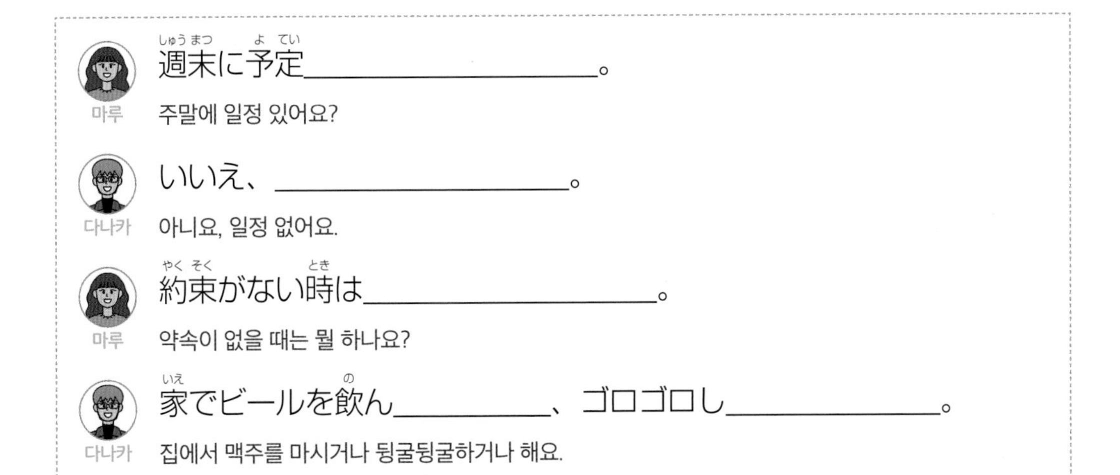

마루: 週末に予定__________。
주말에 일정 있어요?

다나카: いいえ、__________。
아니요, 일정 없어요.

마루: 約束がない時は__________。
약속이 없을 때는 뭘 하나요?

다나카: 家でビールを飲ん__________、ゴロゴロし__________。
집에서 맥주를 마시거나 뒹굴뒹굴하거나 해요.

Day 20 말하지 않아도 알아요

정중하게 요청하는 표현과 방금 완료된 동작을 나타내는 표현을 학습해 봅시다.

Q 질문 [　　　　　] てくれませんか。
~해줄 수 없나요?

A 답변 [　　　　　] たところです。
막 ~했어요.

STEP 1 오늘의 패턴을 만나 보세요!

질문 패턴

「…てくれる 테 쿠레루」는 '다른 사람이 나에게 ~해주다'라는 표현으로 동사 て형에 접속합니다. 상대방에게 '~해줄 수 없나요?, ~해주지 않을래요?'라고 정중하게 요청할 때는 「…てくれませんか 테 쿠레마셍까」라고 합니다. '~해 주세요'라는 뜻의 「…てください 테 쿠다사이」보다 정중한 표현입니다.

답변 패턴

어떤 행동을 완료한 직후에 '막 ~했어요, ~한 참이에요'라고 표현할 때는 동사 た형에 「…ところです 토코로데스」를 연결합니다.

Track 20-01

질문 会議室(かいぎしつ)を予約(よやく)してくれませんか。
카이기시츠오 요야쿠시테 쿠레마셍까
회의실을 예약해줄 수 없나요?

답변 今(いま)予約(よやく)したところです。
이마 요야쿠시타 토코로데스
지금 막 예약했어요.

새 단어

会議室(かいぎしつ) 회의실

STEP 2 다양한 상황 속에서 말해 보세요!

- 일상에서 접할 수 있는 문장을 여러 번 따라 말해 보세요.

窓(まど)を閉(し)めてくれませんか。
마도오 시메테 쿠레마셍까
창문을 닫아줄 수 없나요?

今(いま)閉(し)めたところです。
이마 시메타 토코로데스
지금 막 닫았어요.

資料(しりょう)を送(おく)ってくれませんか。
시료-오 오쿳테 쿠레마셍까
자료를 보내줄 수 없나요?

今(いま)送(おく)ったところです。
이마 오쿳타 토코로데스
지금 막 보냈어요.

彼(かれ)に連絡(れんらく)してくれませんか。
카레니 렌라쿠시테 쿠레마셍까
그에게 연락해 줄 수 없나요?

今(いま)連絡(れんらく)したところです。
이마 렌라쿠시타 토코로데스
지금 막 연락했어요.

새 단어

窓(まど) 창문 | 閉(し)める 닫다 | 送(おく)る 보내다 | 彼(かれ) 그(3인칭)

STEP 3 실생활에서 일본인은 이렇게 말해요!

ここ、暑(あつ)くないですか。
코코 아츠쿠 나이데스까
여기 덥지 않아요?

私(わたし)はちょうどいいです。
와타시와 쵸-도 이-데스
저는 딱 좋아요.

ちょっとエアコンをつけてくれませんか。
춋토 에아콩오 츠케테 쿠레마셍까
잠깐 에어컨을 켜줄 수 없나요?

사토

今(いま)つけたところです。
이마 츠케타 토코로데스
지금 막 켰어요.

말하기 챌린지!

- 빈칸에 알맞은 말을 채운 후 대화를 완성해 보세요.

ホテルを予約(よやく)し＿＿＿＿＿＿＿＿＿＿＿＿＿＿。
호텔을 예약해 줄 수 없나요?

今(いま)予約(よやく)し＿＿＿＿＿＿＿＿＿＿＿＿。
지금 막 예약했어요.

새 단어

ちょうど 딱, 마침 | ちょっと 잠깐 | エアコン 에어컨 | つける 켜다, 틀다 | ホテル 호텔

STEP 4 문제를 풀어 보며 실력을 쌓아 보세요!

1 녹음을 듣고 빈칸에 알맞은 말을 골라 보세요.

A 窓(まど)を閉(し)め 창문을 닫아 ¦ 資料(しりょう)を送(おく)っ 자료를 보내 てくれませんか。 줄 수 없나요?

B 今(いま)閉(し)め 지금 막 닫은 ¦ 今(いま)送(おく)っ 지금 막 보낸 たところです。 참이에요.

2 제시어를 참고하여 다음 한국어를 일본어로 써 보세요.

❶ 그에게 연락해 줄 수 없나요?

▶ ____________________

❷ 지금 막 연락했어요.

▶ ____________________

❸ 지금 막 도착했어요.

▶ ____________________ (* 着(つ)く 도착하다)

3 다음 대화를 완성하세요.

마루 ここ、____________。
여기 덥지 않아요?

사토 私(わたし)は____________いいです。
저는 딱 좋아요.

마루 ちょっとエアコンをつけ____________。
잠깐 에어컨을 켜줄 수 없나요?

사토 今(いま)つけ____________。
지금 막 켰어요.

Day 21 넌 다 계획이 있구나

오늘의 표현 계획하거나 예정된 것에 대해 묻고 답하는 표현을 학습해 봅시다.

Q 질문 [　　　　　] つもりですか。
~할 생각이에요?

A 답변 [　　　　　] つもりです。
~할 생각이에요.

STEP 1 오늘의 패턴을 만나 보세요!

질문 패턴

「つもり 츠모리」는 '생각, 예정'이라는 뜻으로 동사 기본형이나 ない형에 접속하여 친한 사이에서 가볍게 상대방의 생각이나 계획, 일정을 물을 때 사용하는 표현입니다. 그 뒤에 '~이에요?'라는 뜻의 「…ですか 데스까」를 붙이면 '~할 생각이에요?, ~할 예정이에요?'라는 질문이 됩니다.

답변 패턴

질문에 대답할 때는 「…つもりです 츠모리데스」라고 말하면 됩니다. 어떤 일을 하고자 막연히 생각하는 경우에 사용하는 표현입니다.

Track 21-01

질문 週末(しゅうまつ)に出(で)かけるつもりですか。
슈-마츠니 데카케루 츠모리데스까
주말에 외출할 생각이에요?

답변 家(いえ)にいるつもりです。
이에니 이루 츠모리데스
집에 있을 생각이에요.

STEP 2 다양한 상황 속에서 말해 보세요!

- 일상에서 접할 수 있는 문장을 여러 번 따라 말해 보세요.

いつ帰国(きこく)するつもりですか。

이츠 키코쿠스루 츠모리데스까

언제 귀국할 생각이에요?

明日(あした)帰(かえ)るつもりです。

아시타 카에루 츠모리데스

내일 돌아갈 생각이에요.

結婚(けっこん)するつもりですか。

켁콘스루 츠모리데스까

결혼할 생각이에요?

来年(らいねん)には結婚(けっこん)するつもりです。

라이넨니와 켁콘스루 츠모리데스

내년에는 결혼할 생각이에요.

彼(かれ)に言(い)わないつもりですか。

카레니 이와나이 츠모리데스까

그에게 말하지 않을 생각이에요?

はい、言(い)わないつもりです。

하이 이와나이 츠모리데스

네, 말하지 않을 생각이에요.

새 단어

帰国(きこく) 귀국 | 結婚(けっこん) 결혼 | 来年(らいねん) 내년 | 言(い)う 말하다

STEP 3 실생활에서 일본인은 이렇게 말해요!

마루

明日(あした)から連休(れんきゅう)ですね。
아시타카라 렝큐-데스네
내일부터 연휴네요.

다나카

マルさんは何(なに)をするつもりですか。
마루상와 나니오 스루 츠모리데스까
마루 씨는 뭐 할 생각이에요?

마루

英語(えいご)の授業(じゅぎょう)を受(う)けるつもりです。
에-고노 쥬교-오 우케루 츠모리데스
영어 수업을 들을 예정이에요.

다나카

うわ、本当(ほんとう)に真面目(まじめ)ですね。
우와 혼토-니 마지메데스네
우와, 정말 성실하시네요.

Tip
'수업을 듣다'는 「授業(じゅぎょう)を聞(き)く 쥬교-오 키쿠」가 아니라 「授業(じゅぎょう)を受(う)ける 쥬교-오 우케루」로 표현해야 해요.

말하기 챌린지!

● 빈칸에 알맞은 말을 채운 후 대화를 완성해 보세요.

週末(しゅうまつ)に出(で)かける＿＿＿＿＿＿＿＿＿＿。
주말에 외출할 예정이에요?

はい、散歩(さんぽ)する＿＿＿＿＿＿＿＿。
네, 산책할 예정이에요.

새 단어
連休(れんきゅう) 연휴 | 英語(えいご) 영어 | 授業(じゅぎょう)を受(う)ける 수업을 듣다 | 本当(ほんとう)に 정말(로) | 真面目(まじめ)だ 성실하다

STEP 4 문제를 풀어 보며 실력을 쌓아 보세요!

Track 21-04

1 녹음을 듣고 빈칸에 알맞은 말을 골라 보세요.

A [いつ帰国(きこく)する 언제 귀국할 | 結婚(けっこん)する 결혼할] つもりですか。 생각이에요?

B [明日(あした)帰(かえ)る 내일 돌아갈 | 来年(らいねん)には結婚(けっこん)する 내년에는 결혼할] つもりです。 생각이에요.

2 제시어를 참고하여 다음 한국어를 일본어로 써 보세요.

❶ 언제 휴직할 생각이에요?

▶ ________________________ (* 休職(きゅうしょく)する 휴직하다)

❷ 그에게 말하지 않을 생각이에요?

▶ ________________________

❸ 정말 성실하시네요.

▶ ________________________

3 다음 대화를 완성하세요.

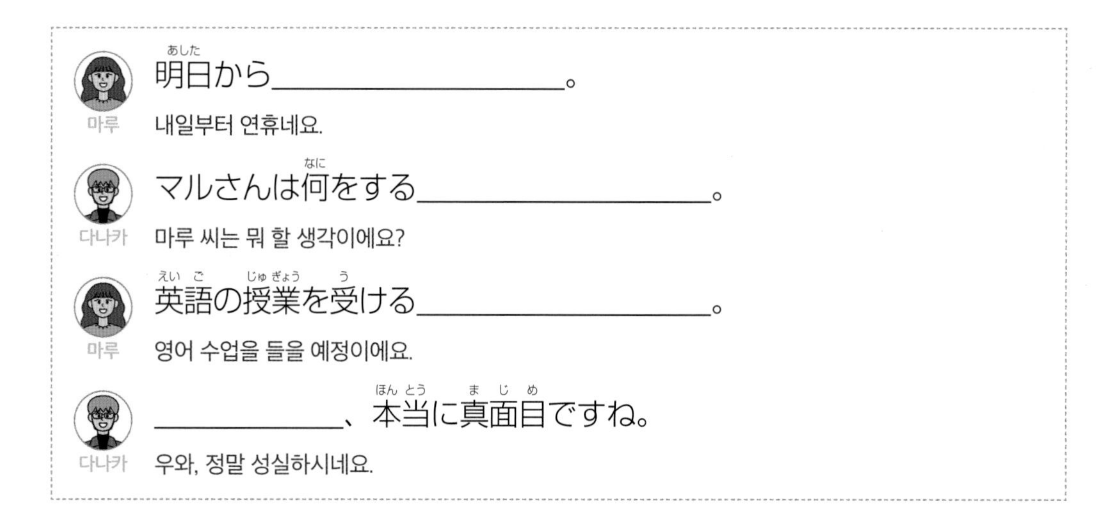
마루: 明日(あした)から________________。
내일부터 연휴네요.

다나카: マルさんは何(なに)をする________________。
마루 씨는 뭐 할 생각이에요?

마루: 英語(えいご)の授業(じゅぎょう)を受(う)ける________________。
영어 수업을 들을 예정이에요.

다나카: ____________、本当(ほんとう)に真面目(まじめ)ですね。
우와, 정말 성실하시네요.

Day 22

방법은 단 하나

오늘의 표현 생각대로 되지 않는 상황 표현과 선택지가 제한적인 상황 표현을 학습해 봅시다.

Q 질문 なかなか [　　　] ません。

좀처럼 ~하지 않아요.

A 답변 [　　　] しかないですね。

~할 수밖에 없네요.

STEP 1 오늘의 패턴을 만나 보세요!

질문 패턴

「なかなか 나카나카」는 '좀처럼'이라는 뜻으로 부정문과 함께 사용됩니다. 어떤 일이 쉽사리 생각만큼 되지 않을 때 사용하는 표현입니다.

답변 패턴

다른 선택지 없이 오직 이 방법뿐이라고 말할 때는 '~밖에 없다'라는 뜻의 「…しかない 시카 나이」를 사용합니다. 그 뒤에 '~네요, ~군요'라는 뜻의 「…ですね 데스네」를 붙여 상대방의 의견에 공감하거나 동의하는 뉘앙스를 내포합니다.

Track 22-01

질문 なかなか日本語(にほんご)が上達(じょうたつ)しません。

나카나카 니홍고가 죠-타츠 시마셍

좀처럼 일본어가 늘지 않아요.

답변 毎日(まいにち)練習(れんしゅう)するしかないですね。

마이니치 렌슈-스루시카 나이데스네

매일 연습하는 수밖에 없네요.

새 단어

なかなか 좀처럼 | 日本語(にほんご) 일본어 | 上達(じょうたつ) 숙달, 향상, 능숙해짐 | 毎日(まいにち) 매일 | 練習(れんしゅう) 연습 | …しか ~밖에 | ない 없다

STEP 2 다양한 상황 속에서 말해 보세요!

● 일상에서 접할 수 있는 문장을 여러 번 따라 말해 보세요.

なかなかバスが来(き)ません。

나카나카 바스가 키마셍

좀처럼 버스가 오지 않아요.

タクシーに乗(の)るしかないですね。

탁시-니 노루시카 나이데스네

택시를 탈 수밖에 없네요.

なかなか雨(あめ)が止(や)みません。

나카나카 아메가 야미마셍

좀처럼 비가 안 그쳐요.

傘(かさ)を買(か)うしかないですね。

카사오 카우시카 나이데스네

우산을 살 수밖에 없네요.

なかなか体重(たいじゅう)が落(お)ちません。

나카나카 타이쥬-가 오치마셍

좀처럼 체중이 빠지지 않아요.

毎日(まいにち)運動(うんどう)するしかないですね。

마이니치 운도-스루시카 나이데스네

매일 운동하는 수밖에 없네요.

새 단어

バス 버스 | タクシー 택시 | 乗(の)る 타다 | 雨(あめ) 비 | 止(や)む 그치다, 멎다 | 傘(かさ) 우산 | 体重(たいじゅう) 체중 | 落(お)ちる (살이) 빠지다

STEP 3 실생활에서 일본인은 이렇게 말해요!

마루

佐藤(さとう)さん、何(なに)か悩(なや)みでもありますか。
사토-상 나니카 나야미데모 아리마스까
사토 씨, 뭔가 고민이라도 있어요?

사토

なかなか英語(えいご)の成績(せいせき)が上(あ)がりません。
나카나카 에-고노 세-세키가 아가리마셍
좀처럼 영어 성적이 안 올라요.

마루

それなら毎日(まいにち)勉強(べんきょう)するしかないですね。
소레나라 마이니치 벵쿄-스루시카 나이데스네
그렇다면 매일 공부하는 수밖에 없네요.

사토

ですよね…。
데스요네
그렇죠….

말하기 챌린지!

• 빈칸에 알맞은 말을 채운 후 대화를 완성해 보세요.

＿＿＿＿＿＿歌(うた)の実力(じつりょく)が上達(じょうたつ)し＿＿＿＿＿＿。
좀처럼 노래 실력이 늘지 않아요.

毎日(まいにち)練習(れんしゅう)する＿＿＿＿＿＿＿＿。
매일 연습하는 수밖에 없네요.

새 단어

悩(なや)み 고민 | …でも ~(이)라도 | 成績(せいせき) 성적 | 上(あ)がる 오르다 | それなら 그렇다면, 그러면 | 勉強(べんきょう) 공부 | 歌(うた) 노래 | 実力(じつりょく) 실력

STEP 4 문제를 풀어 보며 실력을 쌓아 보세요!

Track 22-04

1 녹음을 듣고 빈칸에 알맞은 말을 골라 보세요.

A なかなか 좀처럼 | バスが来(き) 버스가 오 ¦ 体重(たいじゅう)が落(お)ち 체중이 빠지 | ません。 지 않아요.

B タクシーに乗(の)る 택시를 탈 ¦ 毎日運動(まいにちうんどう)する 매일 운동하는 | しかないですね。 수밖에 없네요.

2 제시어를 참고하여 다음 한국어를 일본어로 써 보세요.

❶ 좀처럼 비가 안 그쳐요.

▶ ______________________________

❷ 우산을 살 수밖에 없네요.

▶ ______________________________

❸ 야근하는 수밖에 없네요.

▶ ______________________________ (* 残業(ざんぎょう)する 야근하다)

3 다음 대화를 완성하세요.

마루 佐藤(さとう)さん、何(なに)か__________ありますか。
사토 씨, 뭔가 고민이라도 있어요?

사토 __________英語(えいご)の成績(せいせき)が上(あ)がり__________。
좀처럼 영어 성적이 안 올라요.

마루 それなら毎日勉強(まいにちべんきょう)する__________。
그렇다면 매일 공부하는 수밖에 없네요.

사토 ですよね…。
그렇죠….

Day 23 의무감은 살짝 내려놓고

오늘의 표현 의무 및 필요를 나타내는 표현을 학습해 봅시다.

Q 질문 [　　　　]ないといけないんですか。
~해야 해요?

A 답변 [　　　　]なくてもいいですよ。
~하지 않아도 돼요.

STEP 1 오늘의 패턴을 만나 보세요!

질문 패턴

「…ないといけない 나이토 이케나이」는 '~하지 않으면 안 된다, ~해야 한다'라는 뜻으로, 어떤 행동을 할 의무나 필요가 있음을 나타냅니다. 「んですか ㄴ데스까」를 붙여서 질문하면 「…ないといけませんか 나이토 이케마셍까」보다 조금 더 부드러운 회화체 표현이 됩니다.

답변 패턴

「…なくてもいい 나쿠테모 이-」는 '~하지 않아도 된다'는 뜻으로, 어떤 행동을 할 의무나 필요가 없음을 나타냅니다. 「ですよ 데스요」를 붙이면 좀 더 강조하는 뉘앙스가 됩니다.

Track 23-01

질문 今日中(きょうじゅう)に提出(ていしゅつ)しないといけないんですか。
코-쥬-니 테-슈츠 시나이토 이케나인데스까
오늘 중으로 제출해야 해요?

답변 いいえ、提出(ていしゅつ)しなくてもいいですよ。
이-에 테-슈츠 시나쿠테모 이-데스요
아니요, 제출하지 않아도 돼요.

새 단어
提出(ていしゅつ) 제출

STEP 2 다양한 상황 속에서 말해 보세요!

● 일상에서 접할 수 있는 문장을 여러 번 따라 말해 보세요.

お塩(しお)を入(い)れないといけないんですか。

오시오오 이레나이토 이케나인데스까

소금을 넣어야 해요?

入(い)れなくてもいいですよ。

이레나쿠테모 이-데스요

안 넣어도 돼요.

今日(きょう)、残業(ざんぎょう)しないといけないんですか。

쿄- 장교-시나이토 이케나인데스까

오늘 야근해야 해요?

今日(きょう)はしなくてもいいですよ。

쿄-와 시나쿠테모 이-데스요

오늘은 안 해도 돼요.

일본어로 일반적인 잔업이나 야근은 「残業(ざんぎょう) 장교-」라고 표현해요. 「夜勤(やきん) 야킹」은 교대 근무 제도가 있는 곳에서 심야 시간에 근무하는 것을 말해요.

名前(なまえ)と住所(じゅうしょ)を書(か)かないといけないんですか。

나마에토 쥬-쇼오 카카나이토 이케나인데스까

이름과 주소를 써야 해요?

住所(じゅうしょ)は書(か)かなくてもいいですよ。

쥬-쇼와 카카나쿠테모 이-데스요

주소는 안 써도 돼요.

새 단어

お塩(しお) 소금 | 入(い)れる 넣다 | 名前(なまえ) 이름 | 住所(じゅうしょ) 주소

STEP 3 실생활에서 일본인은 이렇게 말해요!

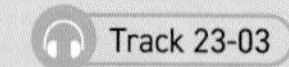

마루

今日(きょう)、佐藤(さとう)さんも飲(の)み会(かい)に行(い)きますか。

쿄-　사토-삼모　노미카이니　이키마스까

오늘 사토 씨도 술자리에 가요?

사토

え、行(い)かないといけないんですか。

에　이카나이토　이케나인데스까

어, 가야 하나요?

마루

いいえ、無理(むり)しなくてもいいですよ。

이-에　무리시나쿠테모　이-데스요

아니요, 무리하지 않아도 돼요.

사토

バイトがあるから、今度(こんど)行(い)きます。

바이토가　아루카라　콘도　이키마스

아르바이트가 있으니까 다음에 갈게요.

말하기 챌린지!

- 빈칸에 알맞은 말을 채운 후 대화를 완성해 보세요.

必(かなら)ず今日中(きょうじゅう)に提出(ていしゅつ)し＿＿＿＿＿＿＿＿＿＿＿＿。

꼭 오늘 중으로 제출해야 돼요?

いいえ、提出(ていしゅつ)し＿＿＿＿＿＿＿＿＿＿。

아니요, 제출하지 않아도 돼요.

새 단어

無理(むり) 무리 | バイト 아르바이트 | 必(かなら)ず 꼭, 반드시

STEP 4 문제를 풀어 보며 실력을 쌓아 보세요!

Track 23-04

1 녹음을 듣고 빈칸에 알맞은 말을 골라 보세요.

A お塩(しお)を入(い)れ / 소금을 넣어 | 今日(きょう)、残業(ざんぎょう)し / 오늘 야근해 ないといけないんですか。 야 해요?

B 入(い)れ / 넣지 | 今日(きょう)はし / 오늘 하지 なくてもいいですよ。 않아도 돼요.

2 제시어를 참고하여 다음 한국어를 일본어로 써 보세요.

❶ 꼭 참석해야 해요?

▶ ______________________ (* 参加(さんか) 참석, 참가)

❷ 이름과 주소를 써야 해요?

▶ ______________________

❸ 아니요, 주소는 안 써도 돼요.

▶ ______________________

3 다음 대화를 완성하세요.

마루 今日(きょう)、佐藤(さとう)さんも__________________。
오늘 사토 씨도 술자리에 가요?

사토 え、行(い)か__________________。
어, 가야 하나요?

마루 いいえ、無理(むり)し__________________。
아니요, 무리하지 않아도 돼요.

사토 バイトがあるから、__________________。
아르바이트가 있으니까 다음에 갈게요.

Day 24 어드바이스 한 스푼

오늘의 표현 현재 진행형과 지시 및 부탁하는 표현을 학습해 봅시다.

Q 질문 [　　　　] ています。

~하고 있어요.

A 답변 [　　　　] ないでください。

~하지 마세요.

STEP 1 오늘의 패턴을 만나 보세요!

질문 패턴

「…ている 테이루」는 '~하고 있다'라는 뜻으로 현재 진행 중인 동작이나 상태를 나타내는 표현입니다.

답변 패턴

어떤 행동을 하지 않도록 상대방에게 지시하거나 부탁할 때 「…ないでください 나이데 쿠다사이」라고 표현합니다. '주세요'라는 뜻의 「ください 쿠다사이」를 붙이지 않고 「…ないで 나이데」라고만 하면 '~하지 마'라는 반말 표현이 됩니다.

Track 24-01

질문 机(つくえ)の上(うえ)を片付(かたづ)けています。

츠쿠에노 우에오 카타즈케테 이마스

책상 위를 정리하고 있어요.

답변 この書類(しょるい)は捨(す)てないでください。

코노 쇼루이와 스테나이데 쿠다사이

이 서류는 버리지 마세요.

새 단어

書類(しょるい) 서류

STEP 2 다양한 상황 속에서 말해 보세요!

- 일상에서 접할 수 있는 문장을 여러 번 따라 말해 보세요.

ずっと考(かんが)えています。
죳토 캉가에테 이마스
계속 생각하고 있어요.

悩(なや)まないでください。
나야마나이데 쿠다사이
고민하지 마세요.

こころから応援(おうえん)しています。
코코로카라 오-엔시테 이마스
진심으로 응원하고 있어요.

心配(しんぱい)しないでください。
심파이 시나이데 쿠다사이
걱정하지 마세요.

パスタを作(つく)っています。
파스타오 츠쿳테 이마스
파스타를 만들고 있어요.

ニンニクは入(い)れないでください。
닌니쿠와 이레나이데 쿠다사이
마늘은 넣지 마세요.

새 단어

ずっと 계속 | 考(かんが)える 생각하다 | こころから 진심으로, 마음으로부터 | 応援(おうえん) 응원 | 心配(しんぱい) 걱정 | パスタ 파스타 | ニンニク 마늘

STEP 3 실생활에서 일본인은 이렇게 말해요!

마루

また残業(ざんぎょう)ですか。
마타 장교- 데스까
또 야근이에요?

다나카

はい、企画書(きかくしょ)を書(か)いています。
하이 키칵쇼오 카이테 이마스
네, 기획서를 쓰고 있어요.

마루

無理(むり)はしないでください。
무리와 시나이데 쿠다사이
무리는 하지 마세요.

다나카

でも、なかなか仕事(しごと)が終(お)わりません。
데모 나카나카 시고토가 오와리마셍
하지만 좀처럼 일이 안 끝나요.

말하기 챌린지!

- 빈칸에 알맞은 말을 채운 후 대화를 완성해 보세요.

食卓(しょくたく)の上(うえ)を片付(かたづ)け＿＿＿＿＿＿＿＿＿。
식탁 위를 정리하고 있어요.

この薬(くすり)は捨(す)て＿＿＿＿＿＿＿＿＿＿＿。
이 약은 버리지 마세요.

새 단어

また 또 | 企画書(きかくしょ) 기획서 | でも 하지만 | 食卓(しょくたく) 식탁

STEP 4 문제를 풀어 보며 실력을 쌓아 보세요!

1 녹음을 듣고 빈칸에 알맞은 말을 골라 보세요.

A

こころから応援(おうえん)し 진심으로 응원하	パスタを作(つく)っ 파스타를 만들

ています。
고 있어요.

B

心配(しんぱい)し 걱정하	ニンニクは入(い)れ 마늘은 넣

ないでください。
지 마세요.

2 제시어를 참고하여 다음 한국어를 일본어로 써 보세요.

❶ 계속 생각하고 있어요.

▶ ______________________________

❷ 고민하지 마세요.

▶ ______________________________

❸ 이벤트를 하고 있어요.

▶ ______________________________

(*イベント 이벤트 *行(おこな)う 하다, 행하다)

3 다음 대화를 완성하세요.

마루: ____________残業(ざんぎょう)ですか。
또 야근이에요?

다나카: はい、企画書(きかくしょ)を書(か)い____________。
네, 기획서를 쓰고 있어요.

마루: 無理(むり)はし____________。
무리는 하지 마세요.

다나카: でも、____________仕事(しごと)が終(お)わり____________。
하지만 좀처럼 일이 안 끝나요.

Day 25 부디 부탁해요

어떤 조건이라도 변하지 않는 상황을 나타내는 표현과 상대방에게 바라는 점을 나타내는 표현을 학습해 봅시다.

Q 질문 いくら [　　] ても [　　] ません。
아무리 ~해도 ~하지 않아요.

A 답변 [　　] てほしいです。
~했으면 해요.

STEP 1 오늘의 패턴을 만나 보세요!

질문 패턴

「いくらAてもBません 이쿠라 A테모 B마셍」은 '아무리 A해도 B하지 않아요'라는 표현으로 아무리 정도가 심해도 상황에 영향을 미치지 않는다는 것을 나타냅니다.

답변 패턴

「…てほしい 테 호시-」는 '~했으면 한다, ~했으면 좋겠다, ~해주길 바란다'라는 뜻으로, 희망하는 바를 나타낼 때 사용하는 표현입니다.

Track 25-01

질문 いくら頑張(がんば)っても成果(せいか)が出(で)ません。
이쿠라 감밧테모 세-카가 데마셍
아무리 열심히 해도 성과가 나오지 않아요.

답변 元気(げんき)を出(だ)してほしいです。
겡키오 다시테 호시-데스
기운을 냈으면 해요.

새 단어

頑張(がんば)る 열심히 하다, 힘내다 | 成果(せいか) 성과 | 出(で)る 나오다 | 元気(げんき) 기운, 기력 | 出(だ)す 내다

STEP 2 다양한 상황 속에서 말해 보세요!

- 일상에서 접할 수 있는 문장을 여러 번 따라 말해 보세요.

いくら考(かんが)えてもわかりません。
이쿠라 캉가에테모 와카리마셍
아무리 생각해도 모르겠어요.

もう少(すこ)し考(かんが)えてほしいです。
모- 스코시 캉가에테 호시-데스
조금 더 생각했으면 해요.

いくら運動(うんどう)しても痩(や)せません。
이쿠라 운도-시테모 야세마셍
아무리 운동해도 살이 안 빠져요.

ダイエットはゆっくりしてほしいです。
다이엣토와 육쿠리 시테 호시-데스
다이어트는 천천히 했으면 해요.

いくら言(い)っても聞(き)きません。
이쿠라 잇테모 키키마셍
아무리 말해도 안 들어요.

もう諦(あきら)めてほしいです。
모- 아키라메테 호시-데스
이제 포기했으면 해요.

새 단어

わかる 알다 | もう少(すこ)し 조금 더 | ダイエット 다이어트 | ゆっくり 천천히 | 聞(き)く (귀담아) 듣다, 경청하다 | 諦(あきら)める 포기하다

STEP 3 실생활에서 일본인은 이렇게 말해요!

마루

ピンク色の財布、見ませんでしたか。

핑쿠이로노 사이후 미마센데시타까

핑크색 지갑 못 봤어요?

사토

またなくしましたか。

마타 나쿠시마시타까

또 잃어버렸어요?

마루

はい、いくら探しても出てきません。

하이 이쿠라 사가시테모 데테 키마셍

네, 아무리 찾아도 안 나와요.

사토

もう少し気をつけてほしいです。

모-스코시 키오 츠케테 호시-데스

조금 더 주의했으면 해요.

말하기 챌린지!

- 빈칸에 알맞은 말을 채운 후 대화를 완성해 보세요.

________頑張っ________成果が出________。

아무리 열심히 해도 성과가 나오지 않아요.

元気を出し________________。

기운을 냈으면 해요.

새 단어

ピンク色 핑크색 | 財布 지갑 | なくす 잃어버리다 | 探す 찾다 | 出る 나오다 | 気をつける 주의하다, 조심하다

STEP 4 문제를 풀어 보며 실력을 쌓아 보세요!

Track 25-04

1 녹음을 듣고 빈칸에 알맞은 말을 골라 보세요.

A いくら 아무리 | 考え(かんが) 생각 ¦ 言っ(い) 말 | ても 해도 | わかり 알지 ¦ 聞き(き) 듣지 | ません。 못(안) 해요.

B 

2 제시어를 참고하여 다음 한국어를 일본어로 써 보세요.

❶ 아무리 몸 상태가 안 좋아도 병원에 가지 않아요.

▶ ______________________________ (* 病院(びょういん) 병원)

❷ 아무리 운동해도 살이 안 빠져요.

▶ ______________________________

❸ 다이어트는 천천히 했으면 해요.

▶ ______________________________

3 다음 대화를 완성하세요.

마루: ピンク色(いろ)の財布(さいふ)、__________。
핑크색 지갑 못 봤어요?

사토: __________。
또 잃어버렸어요?

마루: はい、__________探(さが)し__________出(で)てき__________。
네, 아무리 찾아도 안 나와요.

사토: もう少(すこ)し__________。
조금 더 주의했으면 해요.

Day 26 답은 정해져 있지

 **오늘의 표현** 의지를 가지고 결심한 것을 나타내는 표현과, 화제로부터 연상되는 것을 나타내는 표현을 학습해 봅시다.

Q 질문 [　　　　] ことにしました。
~하기로 했어요.

A 답변 [　　　　] といえば [　　　　] でしょう。
~하면 ~(이)죠.

STEP 1 오늘의 패턴을 만나 보세요!

질문 패턴

「…ことにする 코토니 스루」는 '~하기로 하다'라는 뜻으로, 화자가 어떠한 의지를 가지고 결정하거나 결심한 것을 말할 때 쓰는 표현입니다.

답변 패턴

「AといえばBでしょう A토이에바 B데쇼-」는 '~하면 ~(이)죠'라는 뜻으로 어떤 화제에 대해 바로 떠오르는 것이나 대표적으로 연상되는 것이 있을 때 쓰는 표현입니다.

Track 26-01

질문 友達(ともだち)と祭(まつ)りに行(い)くことにしました。
토모다치토 마츠리니 이쿠 코토니 시마시타
친구와 축제에 가기로 했어요.

답변 祭(まつ)りといえば屋台(やたい)でしょう。
마츠리토이에바 야타이데쇼-
축제하면 포장마차죠.

새 단어

友達(ともだち) 친구 | 祭(まつ)り 축제 | 屋台(やたい) 포장마차

STEP 2 다양한 상황 속에서 말해 보세요!

● 일상에서 접할 수 있는 문장을 여러 번 따라 말해 보세요.

来週(らいしゅう)、合(ごう)コンすることにしました。

라이슈- 고-콘스루 코토니 시마시타

다음 주, 미팅하기로 했어요.

大学生(だいがくせい)といえば**合(ごう)コン**でしょう。

다이각세-토이에바 고-콘데쇼-

대학생 하면 미팅이죠.

「合(ごう)コン 고-콘」은 남녀 간의 만남을 갖는 미팅을 의미하고, 「ミーティング 미-팅구」는 업무상의 회의, 미팅을 의미해요.

スニーカーを買(か)うことにしました。

스니-카-오 카우 코토니 시마시타

운동화를 사기로 했어요.

スニーカーといえば**ナイキ**でしょう。

스니-카-토이에바 나이키데쇼-

운동화 하면 나이키죠.

冬休(ふゆやす)みに札幌(さっぽろ)に行(い)くことにしました。

후유야스미니 삽포로니 이쿠 코토니 시마시타

겨울 방학에 삿포로에 가기로 했어요.

冬(ふゆ)といえば**札幌(さっぽろ)**でしょう。

후유토이에바 삽포로데쇼-

겨울 하면 삿포로죠.

새 단어

来週(らいしゅう) 다음 주 | 合(ごう)コン 미팅 | スニーカー 스니커, 운동화 | ナイキ 나이키(NIKE) | 札幌(さっぽろ) 삿포로(일본의 지명)

STEP 3 실생활에서 일본인은 이렇게 말해요!

마루

明日(あした)はクリスマスですね。

아시타와 쿠리스마스데스네

내일은 크리스마스네요.

사토

はい、帰(かえ)りにKFC(ケンタッキー)に寄(よ)ることにしました。

하이 카에리니 켄탁키-니 요루 코토니 시마시타

네, 돌아가는 길에 KFC에 들르기로 했어요.

일본에서는 크리스마스에 치킨을 먹는 문화가 있어요! 일본은 한국에 비해 치킨 체인점이 많지 않아서 '치킨'하면 'KFC 치킨'을 자연스럽게 떠올린답니다.

마루

クリスマスといえばチキンでしょう。

쿠리스마스토이에바 치킨데쇼-

크리스마스하면 치킨이죠.

사토

今年(ことし)のクリスマスも楽(たの)しみですね。

코토시노 쿠리스마스모 타노시미데스네

올해 크리스마스도 기대되네요.

말하기 챌린지!

- 빈칸에 알맞은 말을 채운 후 대화를 완성해 보세요.

友達(ともだち)と祭(まつ)りに行(い)く＿＿＿＿＿＿＿＿＿＿＿＿＿＿。

친구와 축제에 가기로 했어요.

祭(まつ)り＿＿＿＿＿＿＿花火(はなび)＿＿＿＿＿＿＿。

축제하면 불꽃놀이죠.

새 단어

クリスマス 크리스마스 | 寄(よ)る 들르다 | 今年(ことし) 올해 | 楽(たの)しみ 기대 | 花火(はなび) 불꽃놀이

STEP 4 문제를 풀어 보며 실력을 쌓아 보세요!

Track 26-04

1 녹음을 듣고 빈칸에 알맞은 말을 골라 보세요.

A

スニーカーを買(か)う 운동화를 사	冬休(ふゆやす)みに札幌(さっぽろ)に行(い)く 겨울 방학에 삿포로에 가	ことにしました。 기로 했어요.

B

スニーカー 운동화	冬(ふゆ) 겨울	といえば 하면	ナイキ 나이키	札幌(さっぽろ) 삿포로	でしょう。 죠.

2 제시어를 참고하여 다음 한국어를 일본어로 써 보세요.

❶ 다음 주, 미팅하기로 했어요.

▶ ________________________________

❷ 대학생하면 미팅이죠.

▶ ________________________________

❸ 가라아게하면 맥주죠.

▶ ________________________________ (* 唐揚(からあ)げ 가라아게)

3 다음 대화를 완성하세요.

마루

明日(あした)は____________。

내일은 크리스마스네요.

사토

はい、帰(かえ)りにKFC(ケンタッキー)に寄(よ)る____________。

네, 돌아가는 길에 KFC에 들르기로 했어요.

마루

クリスマス________チキン________。

크리스마스하면 치킨이죠.

사토

今年(ことし)のクリスマスも____________。

올해 크리스마스도 기대되네요.

Day 27

뒷북이란다

오늘의 표현 상대방에게 확인하고자 묻는 표현과 발생한 지 얼마 되지 않은 상황을 나타내는 표현을 학습해 봅시다.

Q 질문 [　　　　]でしょ。
~(이)죠?

A 답변 [　　　　]たばかりです。
~한 지 얼마 안 됐어요.

STEP 1 오늘의 패턴을 만나 보세요!

질문 패턴

「…でしょ 데쇼」는 「…でしょう 데쇼-」의 회화체로 '~(이)죠?'라는 뜻입니다. 말끝을 올려 말하면 상대방에게 확인하거나 질문하는 표현이 됩니다.

답변 패턴

「…たばかり 타 바카리」는 '~한 지 얼마 안 됨, 막 ~함'이라는 뜻입니다. 어떤 행동을 한 직후에도 쓸 수 있고, 말하는 사람이 느끼기에 시간이 얼마 지나지 않았다고 생각할 때도 쓸 수 있습니다.

Track 27-01

질문 二人(ふたり)、ラブラブなカップルでしょ。
후타리 라부라부나 캅푸루데쇼
두 사람 닭살 커플이죠?

답변 はい、まだ付(つ)き合(あ)ったばかりです。
하이 마다 츠키앗타 바카리데스
네, 아직 사귄 지 얼마 안 됐어요.

새 단어

ラブラブだ 서로 사랑하고 있다, 남녀의 사이가 매우 좋다 | カップル 커플 | 付(つ)き合(あ)う 사귀다, 교제하다

STEP 2 다양한 상황 속에서 말해 보세요!

- 일상에서 접할 수 있는 문장을 여러 번 따라 말해 보세요.

今日(きょう)バイトでしょ。
쿄-　바이토데쇼
오늘 알바죠?

今(いま)終(お)わったばかりです。
이마　오왓타　바카리데스
지금 끝난 지 얼마 안 됐어요.

夕飯(ゆうはん)はまだでしょ。
유-항와　마다데쇼
저녁은 아직이죠?

はい、家(いえ)に着(つ)いたばかりです。
하이　이에니　츠이타　바카리데스
네, 집에 도착한 지 얼마 안 됐어요.

映画(えいが)はもう始(はじ)まったでしょ。
에-가와　모-　하지맛타데쇼
영화는 벌써 시작했죠?

今(いま)始(はじ)まったばかりです。
이마　하지맛타　바카리데스
지금 시작한 지 얼마 안 됐어요.

새 단어

夕飯(ゆうはん) 저녁 (식사) | 始(はじ)まる 시작되다

STEP 3 실생활에서 일본인은 이렇게 말해요!

じゅう に じ　ひる
12時からお昼でしょ。
쥬-니지카라 오히루데쇼
12시부터 점심이죠?

いま たの
はい、今頼んだばかりです。
하이 이마 타논다바카리데스
네, 지금 주문한 지 얼마 안 됐어요.

なに たの
何を頼みましたか。
나니오 타노미마시타까
무엇을 주문했어요?

ピザです。
피자데스
피자요.

말하기 챌린지!

- 빈칸에 알맞은 말을 채운 후 대화를 완성해 보세요.

ふたり　ふうふ
二人、夫婦＿＿＿＿＿＿＿＿。
두 사람 부부죠?

つ あ
いいえ、付き合っ＿＿＿＿＿＿＿＿。
아니요, 사귄 지 얼마 안 됐어요.

새 단어

たの
頼む (배달을) 주문하다, 시키다 | ふうふ 夫婦 부부

STEP 4 문제를 풀어 보며 실력을 쌓아 보세요!

Track 27-04

1 녹음을 듣고 빈칸에 알맞은 말을 골라 보세요.

A | 今日(きょう)バイト
오늘 알바 | 映画(えいが)はもう始(はじ)まった
영화는 벌써 시작했 | でしょ。
죠?

B | 今(いま)終(お)わっ
지금 끝난 | 今(いま)始(はじ)まっ
지금 시작한 | たばかりです。
지 얼마 안 됐어요.

2 제시어를 참고하여 다음 한국어를 일본어로 써 보세요.

❶ 내일 공휴일이죠?

▶ ______________________________ (* 祝日(しゅくじつ) 공휴일)

❷ 저녁 식사는 아직이죠?

▶ ______________________________

❸ 네, 집에 도착한 지 얼마 안 됐어요.

▶ ______________________________

3 다음 대화를 완성하세요.

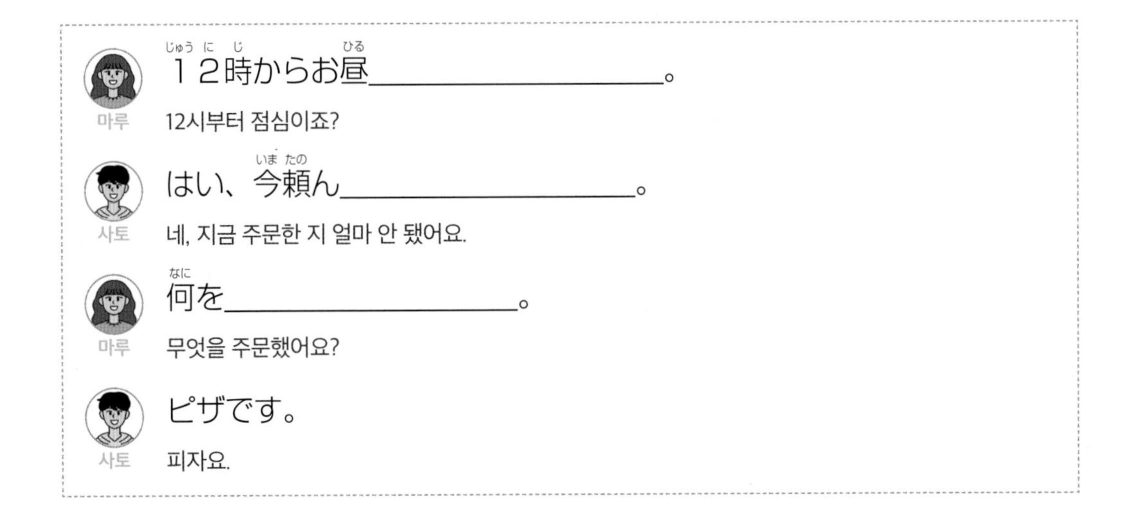

마루: 12時(じゅうにじ)からお昼(ひる)__________________。
12시부터 점심이죠?

사토: はい、今(いま)頼(たの)ん__________________。
네, 지금 주문한 지 얼마 안 됐어요.

마루: 何(なに)を__________________。
무엇을 주문했어요?

사토: ピザです。
피자요.

Day 28 목적 달성을 위해

오늘의 표현 목적을 나타내는 표현과 충고 및 조언하는 표현을 학습해 봅시다.

Q 질문 [　　　] のために [　　　] ています。
~을/를 위해서 ~하고 있어요.

A 답변 [　　　　] ない方(ほう)がいいです。
~하지 않는 게 좋아요.

STEP 1 오늘의 패턴을 만나 보세요!

질문 패턴

「…のために 노 타메니」는 '~을/를 위해서'라는 뜻으로 목적을 나타냅니다. '~하고 있다'라는 뜻의 「…ています 테 이마스」를 뒤에 붙이면, 어떤 목적을 위해 지금 무엇을 하고 있는지 말할 수 있습니다.

답변 패턴

상대방에게 어떤 행동을 하지 않는 것이 좋다고 충고나 조언을 할 때는 '~하지 않는 게 좋다'라는 뜻의 「…ない方(ほう)がいい 나이 호-가 이-」를 사용합니다.

질문 美容(びよう)のためにサプリメントを飲(の)んでいます。 Track 28-01
비요-노 타메니 사푸리멘토오 논데 이마스
미용을 위해서 건강 보조 식품을 먹고 있어요.

답변 飲(の)みすぎない方(ほう)がいいです。
노미스기나이 호-가 이-데스
지나치게 먹지 않는 게 좋아요.

새 단어
美容(びよう) 미용 | サプリメント 건강 보조 식품, 영양제 | 飲(の)む 복용하다

STEP 2 다양한 상황 속에서 말해 보세요!

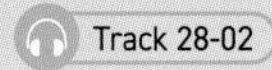

- 일상에서 접할 수 있는 문장을 여러 번 따라 말해 보세요.

夏(なつ)のためにダイエットをしています。
나츠노 타메니 다이엣토오 시테 이마스
여름을 위해서 다이어트를 하고 있어요.

やりすぎない方(ほう)がいいです。
야리스기나이 호-가 이-데스
과하게 하지 않는 게 좋아요.

テストのために徹夜(てつや)しています。
테스토노 타메니 테츠야 시테 이마스
시험을 위해서 밤새우고 있어요.

無理(むり)しない方(ほう)がいいです。
무리시나이 호-가 이-데스
무리하지 않는 게 좋아요.

未来(みらい)のために財(ざい)テクをしています。
미라이노 타메니 자이테쿠오 시테 이마스
미래를 위해서 재테크를 하고 있어요.

欲張(よくば)らない方(ほう)がいいです。
요쿠바라나이 호-가 이-데스
욕심내지 않는 게 좋아요.

새 단어

やりすぎる 과하게 하다, 지나치게 하다 | テスト 시험, 테스트 | 徹夜(てつや) 밤샘, 철야 | 未来(みらい) 미래 | 財(ざい)テク 재테크 | 欲張(よくば)る 욕심내다

STEP 3 실생활에서 일본인은 이렇게 말해요!

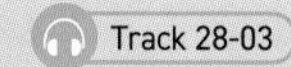

마루

吉田(よしだ)さん、何(なに)を作(つく)っていますか。

요시다상 나니오 츠쿳테 이마스까

요시다 씨, 뭘 만들고 있어요?

요시다

彼氏(かれし)のためにバレンタインチョコを作(つく)っています。

카레시노 타메니 바렌타인쵸코오 츠쿳테 이마스

남자 친구를 위해서 밸런타인 초콜릿을 만들고 있어요.

마루

砂糖(さとう)はあまり入(い)れない方(ほう)がいいですよ。

사토-와 아마리 이레나이 호-가 이-데스요

설탕은 그다지 넣지 않는 게 좋아요.

요시다

オッケーです！

옥케-데스

알겠어요!

말하기 챌린지!

- 빈칸에 알맞은 말을 채운 후 대화를 완성해 보세요.

健康(けんこう)________サプリメントを飲(の)ん__________。

건강을 위해서 건강 보조 식품을 먹고 있어요.

飲(の)みすぎ____________________。

지나치게 먹지 않는 게 좋아요.

새 단어

バレンタインチョコ 밸런타인 초콜릿 | 砂糖(さとう) 설탕 | オッケー OK, 알았다, 좋다 | 健康(けんこう) 건강

STEP 4 문제를 풀어 보며 실력을 쌓아 보세요!

Track 28-04

1 녹음을 듣고 빈칸에 알맞은 말을 골라 보세요.

A 夏(なつ) 여름 | 未来(みらい) 미래 のために 을/를 위해서 ダイエットをし 다이어트를 하 | 財(ざい)テクをし 재테크를 하 ています。 고 있어요.

B やりすぎ 과하게 하 | 欲張(よくば)ら 욕심내 ない方(ほう)がいいです。 지 않는 게 좋아요.

2 제시어를 참고하여 다음 한국어를 일본어로 써 보세요.

① 시험을 위해서 밤새우고 있어요.

▶ ______________________________

② 무리하지 않는 게 좋아요.

▶ ______________________________

③ 취직을 위해서 공부하고 있어요.

▶ ______________________________ (* 就職(しゅうしょく) 취직)

3 다음 대화를 완성하세요.

마루: 吉田(よしだ)さん、______________。
요시다 씨, 뭘 만들고 있어요?

요시다: 彼氏(かれし)__________バレンタインチョコを作(つく)っ__________。
남자 친구를 위해서 밸런타인 초콜릿을 만들고 있어요.

마루: 砂糖(さとう)はあまり入(い)れ______________。
설탕은 그다지 넣지 않는 게 좋아요.

요시다: オッケーです！
알겠어요!

Day
29
딱 보면 척!

오늘의 표현 확실하지 않은 것에 대해 추측하는 표현과 들은 내용을 전달하는 표현을 학습해 봅시다.

Q 질문 [　　　　] みたいですね。
~(인/한) 것 같네요.

A 답변 [　　　　] そうですよ。
~대/래요.

STEP 1 오늘의 패턴을 만나 보세요!

질문 패턴

「…みたいだ 미타이다」는 '~(인/한) 것 같다'라는 뜻으로 확실하지 않은 것을 자신의 감각이나 경험을 토대로 추측하고 판단할 때 쓰는 표현입니다.

답변 패턴

어떤 매체를 통해 듣거나 혹은 누군가에게 들은 정보를 남에게 전달할 때 '~(이)라고 한다'라는 뜻의 「…そうだ 소-다」를 사용합니다.

Track 29-01

질문 ミホさん、落(お)ち込(こ)んでいるみたいですね。
미호상 오치콘데이루 미타이데스네
미호 씨, 풀이 죽어 있는 것 같네요.

답변 試験(しけん)に落(お)ちたそうですよ。
시켄니 오치타 소-데스요
시험에 떨어졌대요.

새 단어

落(お)ち込(こ)む 풀이 죽다, 축 처지다, 의기소침하다 | 試験(しけん) 시험 | 落(お)ちる 떨어지다

STEP 2 다양한 상황 속에서 말해 보세요!

● 일상에서 접할 수 있는 문장을 여러 번 따라 말해 보세요.

あの二人(ふたり)、恋人(こいびと)みたいですね。
아노 후타리 코이비토 미타이데스네
저 두 사람, 연인인 것 같네요.

おさななじみだそうですよ。
오사나나지미다 소-데스요
소꿉친구래요.

みおさん機嫌(きげん)が悪(わる)いみたいですね。
미오상 키겡가 와루이 미타이데스네
미오 씨 기분이 안 좋은 것 같네요.

体調(たいちょう)が悪(わる)いそうですよ。
타이쵸-가 와루이 소-데스요
몸 상태가 안 좋대요.

道(みち)が混(こ)んでいるみたいですね。
미치가 콘데 이루 미타이데스네
길이 막히는 것 같네요.

事故(じこ)があったそうですよ。
지코가 앗타 소-데스요
사고가 났대요.

새 단어

恋人(こいびと) 연인, 애인 | おさななじみ 소꿉친구 | 機嫌(きげん) 기분, 마음 | 体調(たいちょう) 몸 상태, 컨디션 | 悪(わる)い 나쁘다 | 道(みち) 길 | 混(こ)む 막히다, 붐비다 | 事故(じこ) 사고

STEP 3 실생활에서 일본인은 이렇게 말해요!

마루

林さんと吉田さん、別れたみたいですね。
하야시상토 요시다상 와카레타 미타이데스네
하야시 씨와 요시다 씨, 헤어진 것 같네요.

사토

ええ、林さんが浮気したそうですよ。
에- 하야시상가 우와키 시타 소-데스요
네, 하야시 씨가 바람피웠대요.

마루

うそ！本当ですか。
우소 혼토-데스까
거짓말! 정말요?

사토

はい、本当ですよ。
하이 혼토-데스요
네, 정말이에요.

말하기 챌린지!

- 빈칸에 알맞은 말을 채운 후 대화를 완성해 보세요.

ミホさん、落ち込んでいる＿＿＿＿＿＿＿＿＿＿。
미호 씨, 풀이 죽어 있는 것 같네요.

面接に落ちた＿＿＿＿＿＿＿＿＿＿。
면접에 떨어졌대요.

새 단어

別れる 헤어지다, 이별하다 | 浮気する 바람피우다 | うそ 거짓말 | 本当だ 정말이다, 진짜다 | 面接 면접

STEP 4 문제를 풀어 보며 실력을 쌓아 보세요!

Track 29-04

1 녹음을 듣고 빈칸에 알맞은 말을 골라 보세요.

A	あの二人(ふたり)、恋人(こいびと) 저 두 사람, 연인	みおさん機嫌(きげん)が悪(わる)い 미오 씨 기분이 안 좋은	みたいですね。 인/한 것 같네요.
B	おさななじみだ 소꿉친구	体調(たいちょう)が悪(わる)い 몸 상태가 안 좋	そうですよ。 래/대요.

2 제시어를 참고하여 다음 한국어를 일본어로 써 보세요.

❶ 길이 막히는 것 같네요.

▶ ______________________________

❷ 사고가 났대요.

▶ ______________________________

❸ 시험에 합격했대요.

▶ ______________________________ (* 合格(ごうかく) 합격)

3 다음 대화를 완성하세요.

마루 林(はやし)さんと吉田(よしだ)さん、別(わか)れた__________________。
하야시 씨와 요시다 씨, 헤어진 것 같네요.

사토 ええ、林(はやし)さんが浮気(うわき)した__________________。
네, 하야시 씨가 바람피웠대요.

마루 __________________！本当(ほんとう)ですか。
거짓말! 정말요?

사토 はい、__________________。
네, 정말이에요.

Day 30 행운을 빈다네

 **오늘의 표현** 어느 정도 가능성이 있는 것을 나타내는 표현과 어떠한 소망이 이루어지길 응원하는 표현을 학습해 봅시다.

Q 질문 ［　　　　　］かもしれません。
~(일/할)지도 몰라요.

A 답변 ［　　　　　］といいですね。
~(이/하)면 좋겠네요.

STEP 1 오늘의 패턴을 만나 보세요!

질문 패턴

「…かもしれません 카모 시레마셍」은 '~(일/할)지도 몰라요'라는 뜻으로, 판단의 근거가 확실하진 않지만 어느 정도 가능성이 있는 상황을 나타내는 표현입니다.

답변 패턴

「…といいですね 토 이-데스네」는 '~(이/하)면 좋겠네요.'라는 의미로 자신의 소망뿐만 아니라 상대방의 소망이 이루어지길 응원할 때 쓰는 표현입니다.

Track 30-01

질문 風邪(かぜ)かもしれません。
카제카모 시레마셍
감기일지도 몰라요.

답변 早(はや)く治(なお)るといいですね。
하야쿠 나오루토 이-데스네
빨리 나으면 좋겠네요.

새 단어

治(なお)る 낫다, 회복되다

STEP 2 다양한 상황 속에서 말해 보세요!

● 일상에서 접할 수 있는 문장을 여러 번 따라 말해 보세요.

今日(きょう)も雨(あめ)かもしれません。

쿄-모 아메카모 시레마셍

오늘도 비 올지도 몰라요.

いっそ雪(ゆき)だといいですね。

잇소 유키다토 이-데스네

차라리 눈이면 좋겠네요.

あのカフェ、おしゃれかもしれません。

아노 카훼 오샤레카모 시레마셍

저 카페, 분위기 좋을지도 몰라요.

それより、静(しず)かだといいですね。

소레요리 시즈카다토 이-데스네

그것보다 조용하면 좋겠네요.

試験(しけん)に受(う)かるかもしれません。

시켄니 우카루카모 시레마셍

시험에 붙을지도 몰라요.

うまくいくといいですね。

우마쿠 이쿠토 이-데스네

잘 되면 좋겠네요.

새 단어

いっそ 차라리 | おしゃれだ 분위기 좋다, 세련되다 | それより 그것보다, 그보다 | 静(しず)かだ 조용하다 | 受(う)かる (시험 등에) 붙다, 합격하다 | うまくいく 잘 되어가다

STEP 3 실생활에서 일본인은 이렇게 말해요!

마루

今(いま)の部屋(へや)は日当(ひあ)たりが悪(わる)いです。

이마노 헤야와 히아타리가 와루이데스

지금 방은 햇볕이 잘 안 들어요.

사토

今(いま)、レオパでしょ。

이마 레오파데쇼

지금 레오팔레스죠?

마루

はい、来月(らいげつ)には引(ひ)っ越(こ)すかもしれません。

하이 라이게츠니와 힉코스카모 시레마셍

네, 다음 달에는 이사할 지도 몰라요.

사토

いい部屋(へや)を見(み)つけるといいですね。

이- 헤야오 미츠케루토 이-데스네

좋은 방을 찾으면 좋겠네요.

말하기 챌린지!

- 빈칸에 알맞은 말을 채운 후 대화를 완성해 보세요.

問題(もんだい)がある＿＿＿＿＿＿＿＿＿＿＿＿。

문제가 있을지도 몰라요.

早(はや)く解決(かいけつ)される＿＿＿＿＿＿＿＿＿＿＿＿。

빨리 해결되면 좋겠네요.

새 단어

部屋(へや) 방 | 日当(ひあ)たり 볕이 듦 | レオパ 레오팔레스, 풀옵션 원룸 | 来月(らいげつ) 다음 달 | 見(み)つける 찾다, 발견하다 | 問題(もんだい) 문제 | 解決(かいけつ)される 해결되다

STEP 4 문제를 풀어 보며 실력을 쌓아 보세요!

Track 30-04

1 녹음을 듣고 빈칸에 알맞은 말을 골라 보세요.

A [あのカフェ、おしゃれ / 저 카페, 분위기 좋을] ¦ [試験(しけん)に受(う)かる / 시험에 붙을] かもしれません。 지도 몰라요.

B [それより、静(しず)かだ / 그것보다 조용하] ¦ [うまくいく / 잘 되] といいですね。 면 좋겠네요.

2 제시어를 참고하여 다음 한국어를 일본어로 써 보세요.

① 오늘 비 올지도 몰라요.

▶ ______________________________

② 차라리 눈이면 좋겠네요.

▶ ______________________________

③ 잘 어울릴지도 몰라요.

▶ ______________________________ (* よく似合(にあ)う 잘 어울리다)

3 다음 대화를 완성하세요.

마루: ______________は日当(ひあ)たりが悪(わる)いです。
지금 방은 햇볕이 잘 안 들어요.

사토: 今(いま)、レオパでしょ。
지금 레오팔레스죠?

마루: はい、来月(らいげつ)には引(ひ)っ越(こ)す______________。
네, 다음 달에는 이사할 지도 몰라요.

사토: いい部屋(へや)を見(み)つける______________。
좋은 방을 찾으면 좋겠네요.

Day 31

풍문으로 들었소

오늘의 표현 구체적인 정보를 묻는 표현과 정보를 바탕으로 추측하는 표현을 학습해 봅시다.

Q 질문 [　　　] んですか。
~(인/한) 거예요?

A 답변 [　　　] らしいです。
~(인/한) 것 같아요 / ~라는 것 같아요.

STEP 1 오늘의 패턴을 만나 보세요!

질문 패턴

「…んですか ㄴ데스까」는 '~(인/한) 거예요?'라는 뜻으로 「…ですか 데스까」나 「…ますか 마스까」와 뜻은 같지만, 좀 더 말하는 사람의 감정이 실린 표현입니다. 상대방에게 관심을 가지고 구체적인 정보를 물을 때나, 걱정이나 놀란 감정을 가지고 확인할 때 주로 사용합니다.

답변 패턴

「…らしい 라시-」는 '~(인/한) 것 같다, ~라고 한다, ~라는 것 같다'라는 뜻으로 어떤 객관적인 정보를 바탕으로 추측하는 표현입니다.

Track 31-01

질문 出張(しゅっちょう)はどこに行(い)くんですか。
슛쵸-와 도코니 이쿤데스까
출장은 어디로 가는 거예요?

답변 日本(にほん)らしいです。
니혼라시-데스
일본이라는 것 같아요.

새 단어

出張(しゅっちょう) 출장

STEP 2 다양한 상황 속에서 말해 보세요!

- 일상에서 접할 수 있는 문장을 여러 번 따라 말해 보세요.

タカシさん、合格(ごうかく)なんですか。

타카시상　고-카쿠난데스까

타카시 씨, 합격인 거예요?

はい、東大(とうだい)らしいです。

하이　토-다이라시-데스

네, 도쿄대래요.

そのノートパソコン、重(おも)いんですか。

소노　노-토파소콩　오모인데스까

그 노트북, 무거운 거예요?

このブランドが一番(いちばん)軽(かる)いらしいです。

코노　부란도가　이치방　카루이라시-데스

이 브랜드가 가장 가볍대요.

一体(いったい)いつ終(お)わるんですか。

잇타이　이츠　오와룬데스까

도대체 언제 끝나는 거예요?

もうすぐ終(お)わるらしいです。

모-스구　오와루라시-데스

이제 곧 끝난대요.

새 단어

東大(とうだい) 도쿄대학교 | ノートパソコン 노트북 | 重(おも)い 무겁다 | ブランド 브랜드 | 一番(いちばん) 가장, 제일 | 軽(かる)い 가볍다 | 一体(いったい) 도대체, 대체 | もうすぐ 이제 곧, 머지않아

STEP 3 실생활에서 일본인은 이렇게 말해요!

마루

今日(きょう)、誰(だれ)が来(く)るんですか。
쿄- 다레가 쿠룬데스까
오늘 누가 오는 거예요?

사토

鈴木(すずき)さんは来(く)るらしいです。
스즈키상와 쿠루라시-데스
스즈키 씨는 온대요.

마루

他(ほか)に誰(だれ)が来(く)るんですか。
호카니 다레가 쿠룬데스까
그 외에 누가 오는 거예요?

사토

まだ分(わ)からないらしいです。
마다 와카라나이라시-데스
아직 모르는 것 같아요.

말하기 챌린지!

- 빈칸에 알맞은 말을 채운 후 대화를 완성해 보세요.

来月出張(らいげつしゅっちょう)はどこに行(い)く__________。
다음 달 출장은 어디로 가는 거예요?

アメリカ__________。
미국이라는 것 같아요.

새 단어

誰(だれ) 누구 | 他(ほか)に 그 외에, 그 밖에 | 分(わ)かる 알다 | アメリカ 미국

STEP 4 문제를 풀어 보며 실력을 쌓아 보세요!

Track 31-04

1 녹음을 듣고 빈칸에 알맞은 말을 골라 보세요.

A タカシさん、合格(ごうかく)な ¦ そのノートパソコン、重(おも)い　んですか。

타카시 씨, 합격인 ¦ 그 노트북, 무거운　거예요?

B はい、東大(とうだい) ¦ このブランドが一番(いちばん)軽(かる)い　らしいです。

네, 도쿄대 ¦ 이 브랜드가 가장 가볍　래/대요.

2 제시어를 참고하여 다음 한국어를 일본어로 써 보세요.

① 도대체 언제 끝나는 거예요?

▶ ______________________________

② 이제 곧 끝난대요.

▶ ______________________________

③ 왜 화가 난 거예요?

▶ ______________________________ (*怒(おこ)っている 화가 나다)

3 다음 대화를 완성하세요.

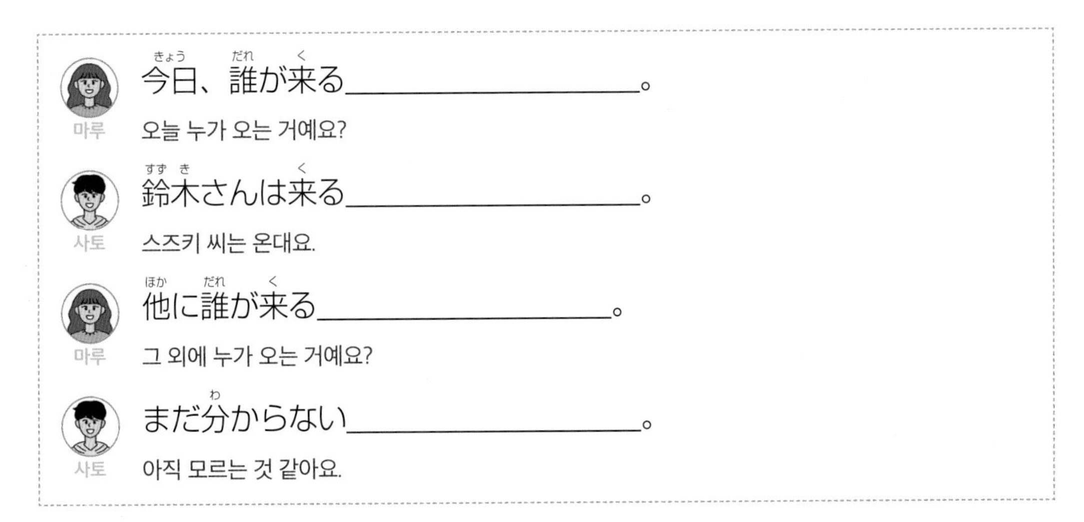

마루: 今日(きょう)、誰(だれ)が来(く)る____________。
오늘 누가 오는 거예요?

사토: 鈴木(すずき)さんは来(く)る____________。
스즈키 씨는 온대요.

마루: 他(ほか)に誰(だれ)が来(く)る____________。
그 외에 누가 오는 거예요?

사토: まだ分(わ)からない____________。
아직 모르는 것 같아요.

Day 32 이유를 설명해 볼래?

 **오늘의 표현** 어떠한 이유나 사정에 대해 묻고 이에 대답하는 표현을 학습해 봅시다.

Q 질문 なんで [　　　　] んですか。

왜 ~(인/한) 거예요?

A 답변 [　　　　] からです。

~(이)니까요.

STEP 1 오늘의 패턴을 만나 보세요!

질문 패턴

「なんで 난데」는 '왜, 어째서'라는 뜻으로 이유를 묻는 표현입니다. 상대방에게 어떤 이유나 사정이 있는지 설명을 구할 때 사용하는 질문입니다.

답변 패턴

「…から 카라」는 '~(이)니까'라는 뜻으로 이유나 원인을 말할 때 쓰는 표현입니다. 그 뒤에 「です 데스」를 붙이면 정중하게 '~(이)니까요'라고 말할 수 있습니다.

Track 32-01

질문 なんで歌(うた)わないんですか。

난데 우타와나인데스까

왜 노래 안 부르는 거예요?

답변 音痴(おんち)だからです。

온치다카라데스

음치니까요.

새 단어

歌(うた)う 노래 부르다 | 音痴(おんち) 음치

STEP 2 다양한 상황 속에서 말해 보세요!

- 일상에서 접할 수 있는 문장을 여러 번 따라 말해 보세요.

この俳優(はいゆう)はなんで人気(にんき)なんですか。
코노 하이유-와 난데 닝키난데스까
이 배우는 왜 인기인 거예요?

イケメンで演技派(えんぎは)だからです。
이케멘데 엥기하다카라데스
미남이고 연기파니까요.

なんで日本語(にほんご)が上手(じょうず)なんですか。
난데 니홍고가 죠-즈난데스까
왜 일본어를 잘하는 거예요?

日本(にほん)のアニメが好(す)きだからです。
니혼노 아니메가 스키다카라데스
일본 애니를 좋아하니까요.

このスマホ、なんで壊(こわ)れたんですか。
코노 스마호 난데 코와레탄데스까
이 스마트폰 왜 망가진 거예요?

床(ゆか)に落(お)ちたからです。
유카니 오치타카라데스
바닥에 떨어졌으니까요.

새 단어

俳優(はいゆう) 배우 | 人気(にんき) 인기 | イケメン 미남 | 演技派(えんぎは) 연기파 | 上手(じょうず)だ 잘하다, 능숙하다 | アニメ 애니 | スマホ 스마트폰 | 壊(こわ)れる 망가지다, 파손되다 | 床(ゆか) 바닥

STEP 3 실생활에서 일본인은 이렇게 말해요!

마루

なんで泣(な)いたんですか。

난데 나이탄데스까

왜 운 거예요?

사토

悲(かな)しい映画(えいが)を見(み)たからです。

카나시- 에-가오 미타카라데스

슬픈 영화를 봤으니까요.

마루

どんな内容(ないよう)でしたか。

돈나 나이요-데시타까

어떤 내용이었어요?

사토

戦争(せんそう)の話(はなし)でした。

센소-노 하나시데시타

전쟁 이야기였어요.

말하기 챌린지!

- 빈칸에 알맞은 말을 채운 후 대화를 완성해 보세요.

今日(きょう)、__________歌(うた)わない__________。

오늘 왜 노래 안 부르는 거예요?

風邪(かぜ)だ__________。

감기니까요.

새 단어

泣(な)く 울다 | 悲(かな)しい 슬프다 | 見(み)る 보다 | どんな 어떤 | 内容(ないよう) 내용 | 戦争(せんそう) 전쟁 | 話(はなし) 이야기

STEP 4 문제를 풀어 보며 실력을 쌓아 보세요!

1 녹음을 듣고 빈칸에 알맞은 말을 골라 보세요.

A [この俳優は / 이 배우는] | [このスマホ、 / 이 스마트폰,] なんで 왜 [人気な / 인기인] | [壊れた / 망가진] んですか。 거예요?

B [イケメンで演技派だ / 미남이고 연기파] | [床に落ちた / 바닥에서 떨어졌으] からです。 니까요.

2 제시어를 참고하여 다음 한국어를 일본어로 써 보세요.

❶ 왜 늦게 퇴근한 거예요?

▶ ______________________________ (* 遅く 늦게)

❷ 왜 일본어를 잘하는 거예요?

▶ ______________________________

❸ 일본 애니를 좋아하니까요.

▶ ______________________________

3 다음 대화를 완성하세요.

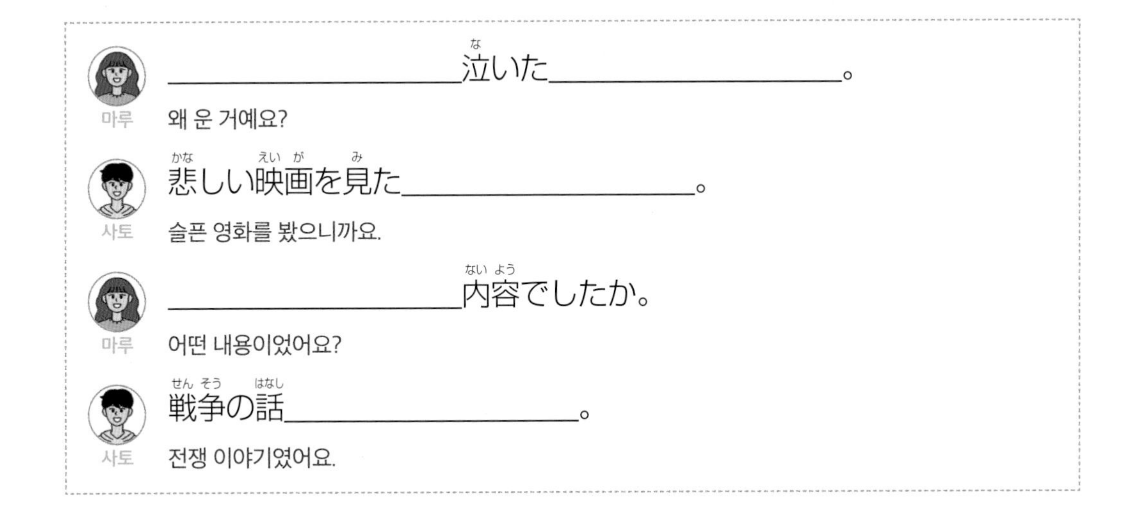

Day 33

내 생각은 그래

오늘의 표현 개인적인 생각이나 의견을 묻고 답하는 표현을 학습해 봅시다.

Q 질문 [ ] んじゃないですか。

~(인/한) 거 아니에요?

A 답변 [ ] と思(おも)いますよ。

~(이)라고 생각해요, ~(인/한) 것 같아요.

STEP 1 오늘의 패턴을 만나 보세요!

질문 패턴

「…んじゃないですか ㄴ쟈 나이데스까」는 '~(인/한) 거 아니에요?'라는 뜻으로 '아마 그러지 않을까요?, 아마 그럴 것 같아요'라는 추측의 뉘앙스를 가집니다.

답변 패턴

「…と思(おも)う 토 오모우」는 '~(이)라고 생각하다, ~(인/한) 것 같다'라는 뜻으로 개인적인 생각이나 의견을 말할 때 쓰는 표현입니다.

Track 33-01

질문 ちょっとひどいんじゃないですか。

촛토 히도인쟈 나이데스까

좀 너무한 거 아니에요?

답변 私(わたし)も言(い)いすぎたと思(おも)いますよ。

와타시모 이-스기타토 오모이마스요

저도 말이 지나쳤다고 생각해요.

새 단어

ちょっと 조금, 좀 | ひどい 심하다, 너무하다 | 言(い)いすぎる 말이 지나치다, 지나친 말을 하다

STEP 2 다양한 상황 속에서 말해 보세요!

- 일상에서 접할 수 있는 문장을 여러 번 따라 말해 보세요.

調子(ちょうし)が悪(わる)いんじゃないですか。

쵸-시가 와루인쟈 나이데스까

컨디션이 안 좋은 거 아니에요?

風邪(かぜ)だと思(おも)いますよ。

카제다토 오모이마스요

감기인 것 같아요.

今(いま)田中(たなか)さん忙(いそが)しいんじゃないですか。

이마 타나카상 이소가시인쟈 나이데스까

지금 다나카 씨 바쁜 거 아니에요?

いいえ、暇(ひま)だと思(おも)いますよ。

이-에 히마다토 오모이마스요

아뇨, 한가한 것 같아요.

もう起(お)きたんじゃないですか。

모- 오키탄쟈 나이데스까

이미 일어난 거 아니에요?

まだ寝(ね)ていると思(おも)いますよ。

마다 네테 이루토 오모이마스요

아직 자고 있는 것 같아요.

새 단어

忙(いそが)しい 바쁘다 | 暇(ひま)だ 한가하다 | 起(お)きる 일어나다

STEP 3 실생활에서 일본인은 이렇게 말해요!

요시다

プレゼンの準備(じゅんび)は終(お)わりましたか。

푸레젠노 쥼비와 오와리마시타까

프레젠테이션 준비는 끝났어요?

사토

え、キャンセルになったんじゃないですか。

에 캰세루니 낫탄쟈 나이데스까

어? 취소된 거 아니에요?

요시다

違(ちが)うと思(おも)いますよ。

치가우토 오모이마스요

아닌 것 같아요.

사토

やばい！どうしよう！

야바이 도-시요-

큰일이다! 어떡하지!

말하기 챌린지!

- 빈칸에 알맞은 말을 채운 후 대화를 완성해 보세요.

先輩(せんぱい)、ちょっとひどい＿＿＿＿＿＿＿＿＿。

선배, 좀 너무한 거 아니에요?

私(わたし)も言(い)いすぎた＿＿＿＿＿＿＿＿＿。

저도 말이 지나쳤다고 생각해요.

새 단어

プレゼン 프레젠테이션 | 準備(じゅんび) 준비 | キャンセル 취소 | 違(ちが)う 다르다, 틀리다 | 先輩(せんぱい) 선배

STEP 4 문제를 풀어 보며 실력을 쌓아 보세요!

Track 33-04

1 녹음을 듣고 빈칸에 알맞은 말을 골라 보세요.

A

今(いま)田中(たなか)さん忙(いそが)しい 지금 다나카 씨 바쁜	もう起(お)きた 이미 일어난	んじゃないですか。 거 아니에요?

B

いいえ、暇(ひま)だ 아뇨, 한가한	まだ寝(ね)ている 아직 자고 있는	と思(おも)いますよ。 것 같아요.

2 제시어를 참고하여 다음 한국어를 일본어로 써 보세요.

❶ 컨디션이 안 좋은 거 아니에요?

▶ ______________________________

❷ 감기인 것 같아요.

▶ ______________________________

❸ 오늘 쉬는 날인 것 같아요.

▶ ______________________________ (* 休(やす)み 쉬는 날, 휴무, 휴일)

3 다음 대화를 완성하세요.

요시다 プレゼンの準備(じゅんび)は__________。
프레젠테이션 준비는 끝났어요?

사토 え、キャンセルになった__________。
어? 취소된 거 아니에요?

요시다 違(ちが)う__________。
아닌 것 같아요.

사토 __________！どうしよう！
큰일이다! 어떡하지!

PART 2 Day34-66

다양한 주제 상황 속 리얼한 롤플레잉!

학습 순서 한눈에 보기!

Step1
롤플레잉으로
패턴 학습

Step2
연습 문제로
실력 테스트

본책 + MP3 음원

Step3
단어 테스트로
주요 단어 복습

Step4
문장 쓰기 노트로
쓰기 실력 향상

Step5
말하기 트레이닝으로
마무리 연습!

더욱 다양한
주제에 대해 일본어로
자연스럽게 대화할
수 있어요!

SNS · OTT 날씨 · 휴식	평소 자주하는 활동을 자연스럽게 공유할 수 있어요.	DAY62~66
소문 · 거절 기대 · 고민 충고 · 평판	말하기 어려운 충고나 거절도 부드럽게 전할 수 있어요.	DAY56~61
직업 · 근무 통학 · 시험	나의 삶, 직장 및 학교 생활에 대해 이야기할 수 있어요.	DAY50~55
쇼핑 · 여행 건강 · 미용	나의 다양한 관심사에 대해 말하고 의견을 공유할 수 있어요.	DAY44~49
취미 · 취향 성격 · 외모 연애 · 이상형	자신의 취미·취향을 말하고 연애관에 대해 대화할 수 있어요.	DAY34~43

Day 34 지친 일상에 활력을

오늘의 표현 관심사나 취미를 나타내는 표현을 학습해 봅시다.

표현 01 最近(さいきん)、[　　　　　]にハマっています。

요즘 ~에 빠졌어요.

표현 02 [　　　　　]のが好(す)きです。

~것을 좋아해요.

STEP 1 실생활에서 일본인은 이렇게 말해요!

Track 34-01

메이

私(わたし)、**最近(さいきん)J-POP(ジェーポップ)にハマっています**。

와타시 사이킹 제-퐙푸니 하맛테 이마스

저 요즘 J-POP에 빠졌어요.

요시노

どんな曲(きょく)を聴(き)いていますか。

돈나 쿄쿠오 키-테 이마스까

어떤 노래를 듣고 있어요?

메이

アイドルの曲(きょく)です。

아이도루노 쿄쿠데스

아이돌 노래예요.

요시노

推(お)し活(かつ)、いいですね。

오시카츠 이-데스네

덕질 좋네요.

메이

吉野(よしの)さんの趣味(しゅみ)は何(なん)ですか。

요시노산노 슈미와 난데스까

요시노 씨 취미는 뭐예요?

요시노

私(わたし)はアニメを見(み)る**のが好(す)きです**。

와타시와 아니메오 미루노가 스키데스

저는 애니를 보는 걸 좋아해요.

새 단어

ハマる 빠지다
曲(きょく) 노래, 곡
アイドル 아이돌
推(お)し活(かつ) 덕질
趣味(しゅみ) 취미

STEP 2 다양한 상황 속에서 말해 보세요!

표현 01

最近(さいきん)、[　　　　]にハマっています。 요즘 ~에 빠졌어요.
사이킹 니 하맛테 이마스

「…にハマる 니 하마루」는 '~에 빠지다, ~에 열중하다'라는 의미로 취미나 관심사를 나타낼 때 쓰는 표현입니다.

① ゲーム
게-무
게임

② アイドル
아이도루
아이돌

③ キャラクターグッズ
카락타- 굿즈
캐릭터 굿즈

> **새 단어**
> キャラクター 캐릭터
> グッズ 굿즈

표현 02

[　　　　]のが好(す)きです。 ~것을 좋아해요.
노가 스키데스

동사에 「…のが好(す)きです 노가 스키데스」를 연결하면 어떤 행동을 하는 것을 좋아한다는 의미를 나타냅니다.

① 家(いえ)でゴロゴロする
이에데 고로고로스루
집에서 뒹굴뒹굴하는

② 登山(とざん)する
토잔스루
등산하는

③ カフェで勉強(べんきょう)する
카훼데 벵쿄-스루
카페에서 공부하는

> **새 단어**
> 登山(とざん) 등산

STEP 3 일본인과 대화하듯 말해 보세요!

Track 34-03

- 녹음을 들으며 빈칸에 들어갈 말을 쓰고 따라 말해 보세요!

상황1 J-POP의 매력에 빠져버린 두 사람

A 私(わたし)、最近(さいきん)J-POP(ジェーポップ) ______________。

저 요즘 J-POP에 빠졌어요.

B 本当(ほんとう)ですか。私(わたし)も最近(さいきん) ______________。

정말요? 저도 요즘 J-POP에 빠졌어요.

상황2 주말에는 뒹굴거리는 게 최고지!

A あなたは何(なに) ______________。

당신은 무엇을 좋아해요?

B 家(いえ)で ______________。

집에서 뒹굴뒹굴하는 걸 좋아해요.

상황3 일본 애니에 빠져버렸어요…!

A あなたの ______________。

당신의 취미는 뭐예요?

B 私(わたし)は ______________。

저는 애니를 보는 것을 좋아해요.

STEP 4 문제를 풀어 보며 실력을 쌓아 보세요!

1 녹음을 듣고, 아래 내용이 맞으면 O, 틀리면 X 표시해 보세요.

❶ 私(わたし)はアニメを見(み)るのが好(す)きです。

❷ 私(わたし)は最近(さいきん)J-POP(ジェーポップ)にハマっています。

2 다음 문장을 한국어로 해석해 보세요.

❶ 最近(さいきん)、日本(にほん)のキャラクターグッズにハマっています。

▶ ______________________________

❷ 私(わたし)はアニメを見(み)るのが好(す)きです。

▶ ______________________________

❸ 最近(さいきん)、男性(だんせい)アイドルグループにハマっています。

▶ ______________________________

3 다음 문장을 일본어로 써 보세요.

❶ 어떤 노래를 듣고 있어요?

▶ ______________________________

❷ 덕질 좋네요.

▶ ______________________________

❸ 요즘 게임에 빠졌어요.

▶ ______________________________

Day 35 호불호는 명확하게

오늘의 표현 취향이나 기호를 나타내는 표현을 학습해 봅시다.

표현 01 お気(き)に入(い)りの [　　　] です。

좋아하는 ~예요.

표현 02 [　　　] は好(この)みじゃないです。

~은/는 취향이 아니에요.

STEP 1 실생활에서 일본인은 이렇게 말해요!

Track 35-01

메이

そのカバン、デザインが独特(どくとく)ですね。

소노 카방 데자잉가 도쿠토쿠데스네

그 가방, 디자인이 독특하네요.

요시노

はい、お気(き)に入(い)りのブランドです。

하이 오키니이리노 부란도데스

네, 좋아하는 브랜드예요.

메이

吉野(よしの)さんは黒(くろ)が好(す)きなんですね。

요시노상와 쿠로가 스키난데스네

요시노 씨는 검은색을 좋아하는군요.

요시노

はい、メイさんも好(す)きですか。

하이 메이삼모 스키데스까

네, 메이 씨도 좋아해요?

메이

黒(くろ)は好(この)みじゃないです。

쿠로와 코노미쟈 나이데스

검은색은 취향이 아니에요.

요시노

そうですか。

소-데스까

그렇군요.

새 단어

カバン 가방

デザイン 디자인

独特(どくとく)だ 독특하다

お気(き)に入(い)り 마음에 듦

黒(くろ) 검은색

好(この)み 취향

STEP 2 다양한 상황 속에서 말해 보세요!

표현 01

お気(き)に入(い)りの ______ です。 좋아하는 ~예요.
오키니이리노 ______ 데스

마음에 드는 사물이나 사람을 말할 때「お気(き)に入(い)りの 오키니이리노 + 사물/사람」이라고 표현합니다.

1. パーカー
   파-카-
   후드티

2. マグカップ
   마구캅푸
   머그컵

3. チーム
   치-무
   팀

> **새 단어**
> カップ 컵

표현 02

______ は好(この)みじゃないです。 ~은/는 취향이 아니에요.
와 코노미쟈 나이데스

「好(この)み 코노미」는 '취향, 기호'라는 뜻으로 선호하거나 관심이 있는 것을 의미합니다.

1. 揚(あ)げ物(もの)
   아게모노
   튀긴 음식

2. 甘(あま)いもの
   아마이모노
   단 것

3. ストライプ柄(がら)
   스토라이푸가라
   스트라이프 무늬

> **새 단어**
> ストライプ 스트라이프, 줄무늬
> 柄(がら) 무늬

STEP 3 일본인과 대화하듯 말해 보세요!

● 녹음을 들으며 빈칸에 들어갈 말을 쓰고 따라 말해 보세요!

상황1 내 최애 가방을 알아봐 주다니!

A そのカバン、デザインが [　　　　]。
그 가방, 디자인이 독특하네요.

B はい、[　　　　]。
네, 좋아하는 브랜드예요.

상황2 튀긴 음식은 내 취향이 아니야.

A 唐揚げ(からあ)は [　　　　]。
가라아게(닭고기 튀김)는 좋아해요?

B 揚げ物(あもの) [　　　　]。
튀긴 음식은 취향이 아니에요.

상황3 스트라이프는 별로인데…!

A このパーカー、[　　　　]。
이 후드티 어때요?

B ストライプ柄(がら) [　　　　]。
스트라이프 무늬는 취향이 아니에요.

STEP 4 문제를 풀어 보며 실력을 쌓아 보세요!

1 녹음을 듣고, 아래 내용이 맞으면 O, 틀리면 X 표시해 보세요.

❶ お気に入りのチームです。

❷ 白は好みじゃないです。

2 다음 문장을 한국어로 해석해 보세요.

❶ そのマグカップ、デザインが独特ですね。

▶ ____________________

❷ 吉野さんは黒が好きなんですね。

▶ ____________________

❸ ストライプ柄のカバンは好みじゃないです。

▶ ____________________

3 다음 문장을 일본어로 써 보세요.

❶ 검은색은 취향이 아니에요.

▶ ____________________

❷ 단 건 취향이 아니에요.

▶ ____________________

❸ 최근, 좋아하는 팀이에요.

▶ ____________________

Day 36 덕밍아웃할게요

오늘의 표현 강조 표현 및 느낌을 묘사하는 표현을 학습해 봅시다.

표현 01 一番好きな[いちばんす] ______ です。

제일 좋아하는 ~예요.

표현 02 ______ って感じ[かん]ですね。

~인/같은 느낌이네요.

STEP 1 실생활에서 일본인은 이렇게 말해요!

Track 36-01

메이

おっ、誰[だれ]ですか。

옷 다레데스까

오, 누구예요?

요시노

私[わたし]の一番好[いちばんす]きな歌手[かしゅ]です。

와타시노 이치방 스키나 카슈데스

제가 제일 좋아하는 가수예요.

메이

この中[なか]で一推[いちお]しは誰[だれ]ですか。

코노 나카데 이치오시와 다레데스까

이중에서 최애는 누구예요?

요시노

ここ、髪[かみ]が赤[あか]い人[ひと]です。

코코 카미가 아카이 히토데스

여기, 머리카락이 빨간 사람이요.

메이

お姫様[ひめさま]って感[かん]じですね。

오히메사맛테 칸지데스네

공주님 같은 느낌이네요.

요시노

ですよね。私[わたし]の理想[りそう]のタイプです。

데스요네 와타시노 리소-노 타이푸데스

그쵸? 제 이상형이에요.

새 단어

- 歌手[かしゅ] 가수
- 中[なか] ~중, 안
- 一推[いちお]し 최애(가장 좋아하는 사람)
- 髪[かみ] 머리(카락)
- 赤[あか]い 빨갛다
- お姫様[ひめさま] 공주님
- 感[かん]じ 느낌, 인상, 분위기
- 理想[りそう]のタイプ 이상형

STEP 2 다양한 상황 속에서 말해 보세요!

표현 01

一番好きな（いちばんすき な）［　　　　］です。 제일 좋아하는 ~예요.
이치방 스키나 데스

「一番（いちばん） 이치방」은 '가장, 제일'이라는 뜻으로, 최상임을 강조할 때 쓰는 표현입니다.

1. 芸人（げいにん）
   게-닝
   예능인

Tip '예능인'을 일컫는 「芸人（げいにん） 게-닝」은 보통 개그맨, 코미디언을 가리킵니다.

2. インフルエンサー
   잉후루엔사-
   인플루언서

3. サッカー選手（せんしゅ）
   삭카-센슈
   축구 선수

새 단어
サッカー 축구
選手（せんしゅ） 선수

표현 02

［　　　　］って感じ（かん）ですね。 ~인/같은 느낌이네요.
스테 칸지데스네

「…って感じ（かん）です 스테 칸지데스」는 '~인 느낌이에요, ~같은 느낌이에요'라는 뜻으로 외모나 분위기 등이 어떤 느낌, 인상인지 나타낼 때 쓰는 표현입니다.

1. 王子様（おうじさま）
   오-지사마
   왕자님

2. クール
   쿠-루
   시크

3. 主人公（しゅじんこう）
   슈징코-
   주인공

STEP 3 일본인과 대화하듯 말해 보세요!

Track 36-03

● 녹음을 들으며 빈칸에 들어갈 말을 쓰고 따라 말해 보세요!

상황1 이 인플루언서 보는 게 요즘 나의 행복!

A おっ、＿＿＿＿＿＿＿＿＿＿。

오, 누구예요?

B 私(わたし)の＿＿＿＿＿＿＿＿＿＿。

제가 제일 좋아하는 인플루언서예요.

상황2 내 최애는 시크한 스타일!

A 私(わたし)の＿＿＿＿＿＿＿＿＿＿。

제가 제일 좋아하는 가수예요.

B クール＿＿＿＿＿＿＿＿＿＿。

시크한 느낌이네요.

상황3 조금 부끄럽지만 왕자님 같은 느낌이 내 이상형

A 王子様(おうじさま)＿＿＿＿＿＿＿＿＿＿。

왕자님 같은 느낌이네요.

B ですよね。私(わたし)の＿＿＿＿＿＿＿＿＿＿。

그죠? 저의 이상형이에요.

STEP 4 문제를 풀어 보며 실력을 쌓아 보세요!

Track 36-04

1 녹음을 듣고, 아래 내용이 맞으면 O, 틀리면 X 표시해 보세요.

❶ 私(わたし)の一番(いちばん)好(す)きな歌手(かしゅ)です。

❷ クールって感(かん)じですね。

2 다음 문장을 한국어로 해석해 보세요.

❶ 最近(さいきん)、一番(いちばん)好(す)きなサッカー選手(せんしゅ)です。

▶ ______________________________

❷ この中(なか)で一推(いちお)しは誰(だれ)ですか。

▶ ______________________________

❸ お姫様(ひめさま)、王子様(おうじさま)って感(かん)じですね。

▶ ______________________________

3 다음 문장을 일본어로 써 보세요.

❶ 요즘 제가 제일 좋아하는 예능인이에요.

▶ ______________________________

❷ 인플루언서 같은 느낌이네요.

▶ ______________________________

❸ 세련된 느낌이네요.

▶ ______________________________

Day 37

나로 말할 것 같으면

오늘의 표현 성향이나 성격을 나타내는 표현을 학습해 봅시다.

표현 01 [　　　　　] 方(ほう)です。

~(한) 편이에요.

표현 02 どっちかというと [　　　　　] です。

어느 쪽이냐 하면 ~(해)요.

STEP 1 실생활에서 일본인은 이렇게 말해요!

Track 37-01

메이

吉野(よしの)さんはどんな性格(せいかく)ですか。

요시노상와 돈나 세-카쿠데스까

요시노 씨는 어떤 성격이에요?

요시노

私(わたし)は静(しず)かな**方(ほう)です**。

와타시와 시즈카나 호-데스

저는 조용한 편이에요.

메이

そうだと思(おも)いました。

소-다토 오모이마시타

그럴 거라 생각했어요.

요시노

はは、メイさんはどうですか。

하하 메이상와 도-데스까

하하, 메이 씨는 어때요?

메이

どっちかというとお茶目(ちゃめ)**です**。

돗치카토이우토 오챠메데스

어느 쪽이냐 하면 장난을 잘 쳐요.

요시노

全然(ぜんぜん)そう見(み)えません。

젠젠 소- 미에마셍

전혀 그렇게 안 보여요.

새 단어

性格(せいかく) 성격
そうだ 그렇다
思(おも)う 생각하다
どっち 어느 쪽
お茶目(ちゃめ)だ 장난을 잘 치다
全然(ぜんぜん) 전혀
そう 그렇게
見(み)える 보이다

STEP 2 다양한 상황 속에서 말해 보세요!

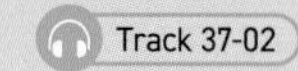

표현 01

[　　　　] 方(ほう)です。 ~(한) 편이에요.
호-데스

'~(한) 편이에요'라는 뜻의 「…方(ほう)です 호-데스」는 형용사 뒤에 놓여 성향이나 성격 등을 나타낼 때 쓸 수 있습니다.

① 厳(きび)しい
키비시-
엄격한

② 素直(すなお)な
스나오나
솔직한

③ わがままな
와가마마나
제멋대로인

표현 02

どっちかというと [　　　　] です。 어느 쪽이냐 하면 ~(해)요.
돗치카토이우토 　　　데스

「どっちかというと 돗치카토이우토」는 '어느 쪽이냐 하면'이라는 뜻으로 굳이 한쪽을 선택해서 말하자면 어느 쪽인지 나타낼 때 쓰는 표현입니다.

① 明(あか)るい
아카루이
밝아

② 大人(おとな)しい
오토나시-
얌전해

③ せっかち
섹카치
성급해

STEP 3 일본인과 대화하듯 말해 보세요!

Track 37-03

● 녹음을 들으며 빈칸에 들어갈 말을 쓰고 따라 말해 보세요!

상황1 내 매력은 솔직한 성격이야.

A あなたは [　　　　]。
당신은 어떤 성격이에요?

B 私(わたし)は [　　　　]。
저는 솔직한 편이에요.

상황2 나는 사실 조금 엄격한 편!

A あなたは [　　　　]。
당신은 어떤 사람이에요?

B [　　　　]。
어느 쪽이냐 하면 엄격해요.

상황3 조용한 편이지만 개그 욕심이 많은 나!

A 私(わたし)は [　　　　]。
저는 조용한 편이에요.

B 全然(ぜんぜん)そう見(み)えません。[　　　　]。
전혀 그렇게 안 보여요. 어느 쪽이냐 하면 장난을 잘 쳐요.

STEP 4 문제를 풀어 보며 실력을 쌓아 보세요!

Track 37-04

1 녹음을 듣고, 아래 내용이 맞으면 O, 틀리면 X 표시해 보세요.

❶ 私(わたし)は静(しず)かな方(ほう)です。

❷ そうだと思(おも)いました。

2 다음 문장을 한국어로 해석해 보세요.

❶ 吉野(よしの)さんはどんな性格(せいかく)ですか。

▶ ______________________________

❷ 私(わたし)はわがままな方(ほう)です。

▶ ______________________________

❸ どっちかというと大人(おとな)しいです。

▶ ______________________________

3 제시어를 참고하여 다음 문장을 일본어로 써 보세요.

❶ 역시 그럴 거라 생각했어요.

▶ ______________________________ (* やっぱり 역시)

❷ 그 사람은 친절한 편이에요.

▶ ______________________________

❸ 어느 쪽이냐 하면 조금 성급해요.

▶ ______________________________

Day 38 피는 물보다 진하다

오늘의 표현 외모나 성향의 유사한 정도를 나타내는 표현을 학습해 봅시다.

표현 01 [　　　　] とそっくりですね。

~와/과 똑 닮았네요.

표현 02 [　　　　] は真逆(まぎゃく)です。

~은/는 정반대예요.

STEP 1 실생활에서 일본인은 이렇게 말해요!

Track 38-01

메이

吉野(よしの)さん、兄弟(きょうだい)いますか。

요시노상 쿄-다이 이마스까

요시노 씨, 형제 있어요?

요시노

年子(としご)の兄(あに)が一人(ひとり)います。

토시고노 아니가 히토리 이마스

연년생 형이 한 명 있어요.

Tip

'닮다'라는 뜻의 「似(に)る 니루」는 닮은 상태가 계속 유지되는 것이기 때문에, 항상 현재진행과 상태를 나타내는 「-ている -테이루」의 형태로 사용해요.

메이

お兄(にい)さんに似(に)ていますか。

오니-산니 니테 이마스까

형을 닮았어요?

요시노

この写真(しゃしん)の真(ま)ん中(なか)の人(ひと)です。

코노 샤신노 만나카노 히토데스

이 사진의 한가운데에 있는 사람이에요.

메이

わぁ、お兄(にい)さんとそっくりですね！

와- 오니-산토 속쿠리데스네

와, 형이랑 똑 닮았네요!

요시노

性格(せいかく)は真逆(まぎゃく)です。

세-카쿠와 마갸쿠데스

성격은 정반대예요.

새 단어

年子(としご) 연년생

兄(あに)
형, 오빠(나의 가족을 말할 때)

お兄(にい)さん
형, 오빠(남의 가족을 말할 때)

似(に)る 닮다

真(ま)ん中(なか) 한가운데

そっくりだ
똑 닮다, 붕어빵이다

真逆(まぎゃく) 정반대

STEP 2 다양한 상황 속에서 말해 보세요!

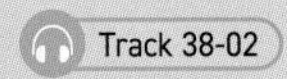

표현 01

[　　　　] とそっくりですね。 ~와/과 똑 닮았네요.
토 속쿠리데스네

「そっくりだ 속쿠리다」는 '똑 닮다, 붕어빵이다'라는 뜻으로 외모, 성격 등이 누군가를 쏙 빼닮았을 때 사용하는 표현입니다.

1. お母(かあ)さん
   오카-상
   어머니
2. 目(め)つきが妹(いもうと)さん
   메츠키가 이모-토상
   눈매가 여동생
3. 笑顔(えがお)がお父(とう)さん
   에가오가 오토-상
   웃는 얼굴이 아버지

새 단어
目(め)つき 눈매
妹(いもうと)さん 여동생
笑顔(えがお) 웃는 얼굴, 미소
お父(とう)さん 아버지

표현 02

[　　　　] は真逆(まぎゃく)です。 ~은/는 정반대예요.
와 마갸쿠데스

「真逆(まぎゃく) 마갸쿠」는 '정반대'라는 뜻으로 무언가와 비슷한 부분 없이 완전히 다른 경우를 나타낼 때 활용할 수 있는 표현입니다.

1. 顔(かお)
   카오
   얼굴
2. 好(す)きなタイプ
   스키나 타이푸
   좋아하는 타입
3. イメージと雰囲気(ふんいき)
   이메-지토 훙이키
   이미지랑 분위기

새 단어
タイプ 타입
イメージ 이미지

STEP 3 일본인과 대화하듯 말해 보세요!

Track 38-03

- 녹음을 들으며 빈칸에 들어갈 말을 쓰고 따라 말해 보세요!

상황1 우리는 붕어빵 형제!

A 年子(としご)の兄(あに)が [　　　　　　]。

연년생 형이 한 명 있어요.

B 目(め)つきが [　　　　　　]。

눈매가 형과 똑 닮았네요.

상황2 자매가 어쩜 이렇게 다를까?

A お姉(ねえ)さんに [　　　　　　]。

언니를 닮았어요?

B 顔(かお) [　　　　　　]。

얼굴은 정반대예요.

상황3 어머니의 예쁜 얼굴만 쏙 물려받았어요.

A 笑顔(えがお)が [　　　　　　]。

웃는 얼굴이 어머니와 똑 닮았네요.

B 性格(せいかく) [　　　　　　]。

성격은 정반대예요.

STEP 4 문제를 풀어 보며 실력을 쌓아 보세요!

Track 38-04

1 녹음을 듣고, 아래 내용이 맞으면 O, 틀리면 X 표시해 보세요.

❶ お母(かあ)さんとそっくりですね。

❷ 年子(としご)の兄(あに)が一人(ひとり)います。

2 다음 문장을 한국어로 해석해 보세요.

❶ わぁ、お兄(にい)さんとそっくりですね！

❷ 年子(としご)の兄(あに)が一人(ひとり)います。

▶ ______________________________

❸ 好(す)きなタイプは真逆(まぎゃく)です。

▶ ______________________________

3 제시어를 참고하여 다음 문장을 일본어로 써 보세요.

❶ 형제 있어요?

▶ ______________________________

❷ 아버지를 닮았어요?

▶ ______________________________

❸ 보조개가 어머니를 똑 닮았네요.

▶ ______________________________ (* えくぼ 보조개)

Day 39 제 고향은요

오늘의 표현 자신의 고향에 대해 소개하는 표현을 학습해 봅시다.

표현 01 生まれは［　　　］です。

태어난 곳은 ~예요.

표현 02 ［　　　］で有名なところですよ。

~(으)로 유명한 곳이에요.

STEP 1 실생활에서 일본인은 이렇게 말해요!

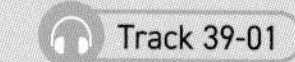

Track 39-01

메이 吉野さんは元々東京出身ですか。

요시노상와 모토모토 토-쿄- 슛신데스까

요시노 씨는 원래 도쿄 출신이에요?

요시노 いや、生まれは奈良です。

이야 우마레와 나라데스

아뇨, 태어난 곳은 나라예요.

메이 本当ですか。知らなかったです！

혼토-데스까 시라나캇타데스

정말요? 몰랐어요!

요시노 でも、育ちは東京です。

데모 소다치와 토-쿄-데스

근데 성장한 곳은 도쿄예요.

메이 なるほど。奈良って何が有名ですか。

나루호도 나랏테 나니가 유-메-데스까

그렇구나. 나라는 뭐가 유명해요?

요시노 奈良は鹿で有名なところですよ。

나라와 시카데 유-메-나 토코로데스요

나라는 사슴으로 유명한 곳이에요.

새 단어

- 元々 원래, 본래
- 出身 출신
- 生まれ 태어난 곳, 출생지
- 奈良 나라(일본 지역명)
- 知る 알다
- 育ち 성장, 자란 곳
- …って ~은/는(…は의 회화체)
- 有名だ 유명하다
- 鹿 사슴
- ところ 곳, 장소

STEP 2 다양한 상황 속에서 말해 보세요!

표현 01

生(う)まれは [   ] です。 태어난 곳은 ~예요.
우마레와 데스

「生(う)まれ 우마레」는 '출생지, 태생'이라는 뜻으로 태어난 곳이 어디인지 소개할 때 위의 표현과 같이 쓸 수 있습니다.

❶ 韓国(かんこく)のソウル
캉코쿠노 소-루
한국 서울

❷ 北海道(ほっかいどう)
혹카이도-
홋카이도

❸ プサン
푸상
부산

표현 02

[   ] で有名(ゆうめい)なところですよ。 ~(으)로 유명한 곳이에요.
데 유-메-나 토코로데스요

「…で有名(ゆうめい)なところ 데 유-메-나 토코로」는 '~(으)로 유명한 곳'이라는 뜻으로 어떤 장소가 무엇으로 유명한 장소인지 말할 때 쓰는 표현입니다.

❶ 桃(もも)
모모
복숭아

❷ きれいな海(うみ)
키레-나 우미
깨끗한 바다

❸ 海鮮(かいせん)
카이센
해산물

새 단어

きれいだ 깨끗하다, 예쁘다
海(うみ) 바다

STEP 3 일본인과 대화하듯 말해 보세요!

Track 39-03

- 녹음을 들으며 빈칸에 들어갈 말을 쓰고 따라 말해 보세요!

상황1 내 부산 사나이 아이가!

A あなたは元々(もともと) ______。

당신은 원래 서울 출신이에요?

B いや、______。

아뇨, 태어난 곳은 부산이에요.

상황2 아름다운 제주도 푸른 바다

A チェジュド ______。

제주도는 뭐가 유명해요?

B きれいな海(うみ) ______。

깨끗한 바다로 유명한 곳이에요.

상황3 내 고향 홋카이도는 해산물 천국

A 北海道(ほっかいどう) ______。

홋카이도는 뭐가 유명해요?

B 海鮮(かいせん) ______。

해산물로 유명한 곳이에요.

STEP 4 문제를 풀어 보며 실력을 쌓아 보세요!

Track 39-04

1 녹음을 듣고, 아래 내용이 맞으면 O, 틀리면 X 표시해 보세요.

❶ 生まれは韓国のソウルです。

❷ プサンは桃で有名なところですよ。

2 다음 문장을 한국어로 해석해 보세요.

❶ 彼は元々東京出身ですか。

▶ ______________________

❷ 生まれは奈良です。でも、育ちは東京です。

▶ ______________________

❸ 桃で有名なところですよ。

▶ ______________________

3 제시어를 참고하여 다음 문장을 일본어로 써 보세요.

❶ 정말요? 몰랐어요!

▶ ______________________

❷ 그렇구나. 서울은 뭐가 유명해요?

▶ ______________________

❸ 신선한 해산물로 유명한 곳이에요.

▶ ______________________ (* 新鮮だ 신선하다)

Day 40 소개시켜줘요

오늘의 표현 이상형을 묻고 답하는 표현을 학습해 봅시다.

표현 01 [　　　] 人(ひと)が理想(りそう)のタイプです。

~(인/한) 사람이 이상형이에요.

표현 02 [　　　] 人(ひと)がいいなと思(おも)ってます。

~(인/한) 사람이 좋다고 생각해요.

STEP 1 실생활에서 일본인은 이렇게 말해요!

메이

好(す)きな人(ひと)いますか。

스키나 히토 이마스까

좋아하는 사람 있어요?

요시노

今(いま)はいませんよ。

이마와 이마셍요

지금은 없어요.

메이

どんな人(ひと)がタイプですか。

돈나 히토가 타이푸데스까

어떤 사람이 (당신의) 타입이에요?

요시노

優(やさ)しい人(ひと)が理想(りそう)のタイプです。

야사시- 히토가 리소-노 타이푸데스

다정한 사람이 이상형이에요.

메이

例(たと)えば。

타토에바

예를 들면요?

요시노

聞(き)き上手(じょうず)な人(ひと)がいいなと思(おも)ってます。

키키죠-즈나 히토가 이-나토 오못테마스

이야기를 잘 들어주는 사람이 좋다고 생각해요.

Tip

이상형을 말할 때 한국에서는 '타입'보다 '스타일'이라고 주로 표현하죠. 하지만 일본에서 「スタイル 스타이루」라고 하면 '몸매, 체형'을 의미하기 때문에 이 경우에는 「タイプ 타이푸」를 사용합니다.

새 단어

優(やさ)しい 다정하다, 상냥하다

例(たと)えば 예를 들면

聞(き)き上手(じょうず)だ 남의 이야기를 잘 들어주다

STEP 2 다양한 상황 속에서 말해 보세요!

표현 01

[　　　] 人(ひと)が理想(りそう)のタイプです。 ~(인/한) 사람이 이상형이에요.
히토가 리소-노 타이푸데스

「理想(りそう)のタイプ 리소-노 타이푸」는 '이상형'이라는 뜻으로 위의 표현과 같이 이상형을 묘사할 때 쓸 수 있습니다.

❶ マナーがいい
마나-가 이-
매너가 좋은

❷ 一途(いちず)な
이치즈나
일편단심인

❸ 真面目(まじめ)な
마지메나
성실한

새 단어
マナー 매너

표현 02

[　　　] 人(ひと)がいいなと思(おも)ってます。 ~(인/한) 사람이 좋다고 생각해요.
히토가 이-나토 오못테마스

'좋다'라는 뜻의 「いい 이-」에 「な 나」를 붙이면 좀 더 감탄하는 뉘앙스를 내포합니다. 위의 표현과 같이 어떤 사람이 좋다고 생각하는지 말할 때 활용할 수 있습니다.

❶ 面白(おもしろ)い
오모시로이
재미있는

❷ 笑顔(えがお)が可愛(かわい)い
에가오가 카와이-
미소가 귀여운

❸ 性格(せいかく)が穏(おだ)やかな
세-카쿠가 오다야카나
성격이 온화한

새 단어
穏(おだ)やかだ 온화하다

STEP 3 일본인과 대화하듯 말해 보세요!

Track 40-03

● 녹음을 들으며 빈칸에 들어갈 말을 쓰고 따라 말해 보세요!

상황1 내 이상형은 일편단심인 사람!

A どんな人(ひと) ______。

어떤 사람을 좋아해요?

B 一途(いちず)な ______。

일편단심인 사람이 이상형이에요.

상황2 나를 편하게 해주는 온화한 사람이 최고!

A どんな人(ひと) ______。

어떤 사람이 (당신의) 타입이에요?

B 性格(せいかく)が ______。

성격이 온화한 사람이 좋다고 생각해요.

상황3 다정함은 모든 걸 이기지.

A 優(やさ)しい人(ひと)が ______。

다정한 사람이 타입이에요?

B はい、______。

네, 이야기를 잘 들어주는 사람이 좋다고 생각해요.

STEP 4 문제를 풀어 보며 실력을 쌓아 보세요!

Track 40-04

1 녹음을 듣고, 아래 내용이 맞으면 O, 틀리면 X 표시해 보세요.

❶ 真面目(まじめ)な人(ひと)が理想(りそう)のタイプです。

❷ 優(やさ)しい人(ひと)がいいなと思(おも)ってます。

2 다음 문장을 한국어로 해석해 보세요.

❶ どんな人(ひと)がタイプですか。

▶ ______________________________

❷ マナーがいい人(ひと)が理想(りそう)のタイプです。

▶ ______________________________

❸ 笑顔(えがお)が可愛(かわい)い人(ひと)がいいなと思(おも)ってます。

▶ ______________________________

3 제시어를 참고하여 다음 문장을 일본어로 써 보세요.

❶ 지금은 좋아하는 사람 없어요.

▶ ______________________________

❷ 예를 들면요?

▶ ______________________________

❸ 긍정적인 사람이 이상형이에요.

▶ ______________________________ (* ポジティブだ 긍정적이다)

Day 41

한번 용기내서

오늘의 표현 상대방의 일정을 묻고 무언가를 권유하는 표현을 학습해 봅시다.

표현 01 [　　　　] 空(あ)いて(い)ますか。

~(일정이) 비어 있나요?

표현 02 [　　　　] に行(い)きませんか。

~(하)러 가지 않을래요?

STEP 1 실생활에서 일본인은 이렇게 말해요!

메이

佐藤(さとう)さん、明日(あした)空(あ)いてますか。

사토상 아시타 아이테마스까

사토 씨, 내일 시간 있어요?(내일 일정 비어 있나요?)

사토

空(あ)いてますよ。

아이테마스요

시간 있어요.(일정 비어 있어요.)

메이

よかったら映画(えいが)見(み)に行(い)きませんか。

요캇타라 에-가 미니 이키마셍까

괜찮으면 영화 보러 가지 않을래요?

사토

映画(えいが)いいですね、行(い)きましょう。

에-가 이-데스네 이키마쇼-

영화 좋네요, 가요.

메이

何時(なんじ)がいいですか。

난지가 이-데스까

몇 시가 좋아요?

사토

何時(なんじ)でもいいです。

난지데모 이-데스

몇 시든 괜찮아요.

새 단어

空(あ)く (시간이) 비다

よかったら 괜찮으면

何時(なんじ) 몇 시

…でも ~든지, ~여도

STEP 2 다양한 상황 속에서 말해 보세요!

표현 01

[　　　　] 空(あ)いて(い)ますか。 ~(일정이) 비어 있나요?
아이테(이)마스까

「空(あ)く 아쿠」는 '(시간이) 비다'라는 뜻으로 상대방에게 일정이 비어 있는지 확인할 때 위의 표현처럼 쓸 수 있습니다.

1. 今週末(こんしゅうまつ)
   콘슈-마츠
   이번 주말
2. 明日(あした)の午後(ごご)
   아시타노 고고
   내일 오후
3. スケジュール
   스케쥬-루
   스케줄

새 단어
午後(ごご) 오후

표현 02

[　　　　] に行(い)きませんか。 ~(하)러 가지 않을래요?
니 이키마셍까

「…に行(い)きませんか 니 이키마셍까」는 '~(하)러 가지 않을래요?'라는 뜻으로 상대방의 의향을 묻거나 권유할 때 쓰는 표현입니다.

1. 一緒(いっしょ)にショッピングし
   잇쇼니 숍핑구시
   같이 쇼핑하러
2. よかったら帰(かえ)りに飲(の)み
   요캇타라 카에리니 노미
   괜찮으면 돌아가는 길에 술 마시러
3. イルミネーションを見(み)
   이루미네-숑오 미
   일루미네이션을 보러

새 단어
ショッピング 쇼핑
イルミネーション 일루미네이션(전광 장식)

STEP 3 일본인과 대화하듯 말해 보세요!

Track 41-03

- 녹음을 들으며 빈칸에 들어갈 말을 쓰고 따라 말해 보세요!

상황1 두근두근 데이트 신청, 일정 체크부터!

A 今週末(こんしゅうまつ) [　　　　　　　　]。

이번 주말 (일정) 비어 있나요?

B [　　　　　　　　]。

(일정) 비어 있어요.

상황2 첫 데이트는 영화지!

A よかったら [　　　　　　　　]。

괜찮으면 영화 보러 가지 않을래요?

B [　　　　　　　　]、行(い)きましょう。

영화 좋네요, 가요.

상황3 밖에 비가 오니까 실내 쇼핑 갈까요?

A 一緒(いっしょ)に [　　　　　　　　]。

같이 쇼핑하러 가지 않을래요?

B はい、スケジュール [　　　　　　　　]。

네, 스케줄 비어 있어요.

STEP 4 문제를 풀어 보며 실력을 쌓아 보세요!

1 녹음을 듣고, 아래 내용이 맞으면 O, 틀리면 X 표시해 보세요.

❶ 今日(きょう)の午後(ごご)空(あ)いてますか。

❷ イルミネーションを見(み)に行(い)きませんか。

2 다음 문장을 한국어로 해석해 보세요.

❶ よかったら帰(かえ)りに飲(の)みに行(い)きませんか。

▶ ______________________________

❷ 何時(なんじ)がいいですか。

▶ ______________________________

❸ スケジュール空(あ)いてますか。

▶ ______________________________

3 제시어를 참고하여 다음 문장을 일본어로 써 보세요.

❶ 내일 오후 스케줄 비어 있나요?

▶ ______________________________

❷ 뮤지컬 좋네요, 가요.

▶ ______________________________ (* ミュージカル 뮤지컬)

❸ 몇 시든 괜찮아요.

▶ ______________________________

Day 42 두근두근 데이트

오늘의 표현 의지를 나타내는 표현과 정보를 구하는 표현을 학습해 봅시다.

표현 01 [　　　　] と思(おも)って(い)ます。

~(하)려고 해요.

표현 02 ほかに [　　　　] があれば教(おし)えてください。

그밖에 ~이/가 있으면 알려주세요.

STEP 1 실생활에서 일본인은 이렇게 말해요!

Track 42-01

메이

明日(あした)初(はつ)デートですね。

아시타 하츠데-토 데스네

내일 첫 데이트네요.

요시노

はい、夜景(やけい)を見(み)に行(い)こうと思(おも)ってます。

하이 야케-오 미니 이코-토 오못테마스

네, 야경을 보러 가려고 해요.

메이

ドライブですか！いいですね。

도라이부데스까 이-데스네

드라이브군요! 좋네요.

요시노

ほかにいいデートコースがあれば教(おし)えてください！

호카니 이- 데-토코-스가 아레바 오시에테 쿠다사이

그밖에 좋은 데이트 코스가 있으면 알려주세요!

메이

展示会(てんじかい)はどうですか。

텐지카이와 도-데스까

전시회는 어때요?

요시노

それもいいですね！

소레모 이-데스네

그것도 좋네요!

Tip

「初(はつ) 하츠」는 '첫, 처음'이라는 뜻으로 뒤에 명사를 붙이면 '첫 ~, 처음으로 하는 ~'라는 뜻이 돼요. 첫키스는 「初(はつ)キス 하츠키스」, 첫사랑은 「初恋(はつこい) 하츠코이」가 되겠죠?

새 단어

- 初(はつ) 첫, 처음
- 夜景(やけい) 야경
- ほかに 그밖에, 그 외에
- デートコース 데이트 코스
- 教(おし)える 알려주다, 가르치다
- 展示会(てんじかい) 전시회

STEP 2 다양한 상황 속에서 말해 보세요!

표현 01

[　　　] と思(おも)って(い)ます。 ~(하)려고 해요.
토 오못테(이)마스

자신의 의지를 나타내는 동사의 의지형에 「…と思(おも)う 토 오모우」를 붙이면 '~(하)려고 하다'라는 표현이 됩니다.

1. プロポーズしよう
   프로포-즈 시요-
   프로포즈 하

2. 日帰(ひがえ)り旅行(りょこう)に行(い)こう
   히가에리 료코-니 이코-
   당일치기 여행을 가

3. レストランでステーキを食(た)べよう
   레스토란데 스테-키오 타베요-
   레스토랑에서 스테이크를 먹으

새 단어

プロポーズ 프로포즈
日帰(ひがえ)り旅行(りょこう) 당일치기 여행
レストラン 레스토랑
ステーキ 스테이크

표현 02

ほかに [　　　] があれば教(おし)えてください。 그밖에 ~이/가 있으면 알려주세요.
호카니 가 아레바 오시에테 쿠다사이

「教(おし)えてください 오시에테 쿠다사이」는 '알려주세요, 가르쳐 주세요'라는 뜻으로, 위의 표현과 같이 상대방에게 어떤 정보나 팁에 대해 알려달라고 부탁할 때 쓸 수 있습니다.

1. おいしいレストラン
   오이시- 레스토랑
   맛있는 레스토랑

2. 有名(ゆうめい)なスポット
   유-메-나 스폿토
   핫플레이스(유명한 곳)

3. おしゃれなカフェ
   오샤레나 카훼
   분위기 좋은 카페

새 단어

スポット 스폿, 장소

STEP 3 일본인과 대화하듯 말해 보세요!

Track 42-03

• 녹음을 들으며 빈칸에 들어갈 말을 쓰고 따라 말해 보세요!

상황1 가까운 곳으로 당일치기 여행!

A ＿＿＿＿＿＿。何(なに)しますか。

내일 데이트네요. 뭐 할 거예요?

B 日帰(ひがえ)り旅行(りょこう)に＿＿＿＿＿＿。

당일치기 여행을 가려고 해요.

상황2 데이트는 너무 오랜만이라….

A ほかに＿＿＿＿＿＿。

그밖에 좋은 데이트 코스가 있으면 알려주세요.

B 展示会(てんじかい)は＿＿＿＿＿＿。

전시회는 어때요?

상황3 근사하게 레스토랑으로 결정!

A レストランで＿＿＿＿＿＿。

레스토랑에서 스테이크를 먹으려고 해요.

B おいしいレストラン＿＿＿＿＿＿。

맛있는 레스토랑이 있으면 알려주세요.

STEP 4 문제를 풀어 보며 실력을 쌓아 보세요!

Track 42-04

1 녹음을 듣고, 아래 내용이 맞으면 O, 틀리면 X 표시해 보세요.

❶ 今日日帰り旅行に行こうと思ってます。

❷ ほかに有名なスポットがあれば教えてください。

2 다음 문장을 한국어로 해석해 보세요.

❶ 夜景を見に行こうと思ってます。

▶ ____________________

❷ ほかにいいデートコースがあれば教えてください。

▶ ____________________

❸ ほかに有名なスポットがあれば教えてください。

▶ ____________________

3 제시어를 참고하여 다음 문장을 일본어로 써 보세요.

❶ 내일 첫 데이트네요.

▶ ____________________

❷ 프로포즈하려고 해요.

▶ ____________________

❸ 그밖에 분위기 좋은 와인바가 있으면 알려주세요.

▶ ____________________ (* ワインバー 와인바)

Day 43 잊지 말아줘요

 오늘의 표현 무언가 깜빡 잊어버린 상황을 나타내는 표현을 학습해 봅시다.

표현 01 [　　　　] をうっかりしました。

~을/를 깜빡했어요.

표현 02 [　　　　] しまいました。

~(해) 버렸어요.

STEP 1 실생활에서 일본인은 이렇게 말해요!

Track 43-01

메이

どうしよう…。

도-시요-

어떡하지….

요시노

どうしたんですか。

도-시탄데스까

무슨 일이에요?

메이

彼氏(かれし)の誕生日(たんじょうび)をうっかりしました。

카레시노 탄죠-비오 욱카리 시마시타

남자 친구 생일을 깜빡했어요.

요시노

それはまずいですね。

소레와 마즈이데스네

그거 큰일이네요.

메이

最近(さいきん)忙(いそが)しくて忘(わす)れてしまいました。

사이킹 이소가시쿠테 와스레테 시마이마시타

요즘 바빠서 까먹어버렸어요.

요시노

早(はや)く連絡(れんらく)してみてください！

하야쿠 렌라쿠 시테 미테 쿠다사이

얼른 연락해 봐요!

새 단어

うっかりする 깜빡하다

まずい (상황이) 좋지 않다

忘(わす)れる 잊다, 까먹다

STEP 2 다양한 상황 속에서 말해 보세요!

표현 01

[ ] をうっかりしました。 ~을/를 깜빡했어요.
오 웃카리 시마시타

「うっかりする 웃카리 스루」는 '깜빡하다'라는 의미로 의도치 않게 깜빡 잊어버린 것을 나타냅니다.

① ランチの約束(やくそく)
란치노 약소쿠
점심 약속

② 結婚記念日(けっこんきねんび)
켁콩키넨비
결혼 기념일

③ 久(ひさ)しぶりのデート
히사시부리노 데-토
오랜만의 데이트

새 단어
ランチ 점심
記念日(きねんび) 기념일
久(ひさ)しぶり 오랜만

표현 02

[ ] しまいました。 ~(해) 버렸어요.
시마이마시타

동사 て형에「しまう 시마우」를 붙이면 '~(해) 버리다'라는 뜻이 됩니다. 의도하지 않은 일이 일어나 안타깝고 유감스럽다는 뉘앙스를 내포합니다.

① ペアリングをなくして
페아링구오 나쿠시테
커플링을 잃어

② 記念日(きねんび)を間違(まちが)えて
키넨비오 마치가에테
기념일을 착각해

③ 彼女(かのじょ)との約束(やくそく)を忘(わす)れて
카노죠토노 약소쿠오 와스레테
여자 친구와의 약속을 잊어

새 단어
ペアリング 커플링
間違(まち が)える 착각하다, 잘못 알다

STEP 3 일본인과 대화하듯 말해 보세요!

- 녹음을 들으며 빈칸에 들어갈 말을 쓰고 따라 말해 보세요!

상황1 점심 약속을 깜빡했어!

A ランチの [　　　　　　　　]。

점심 약속을 깜빡했어요.

B え！それは [　　　　　　　　]。

엇! 그거 큰일이네요.

상황2 큰일이다… 커플링을 잃어버렸어!

A [　　　　　　　　]。

무슨 일이에요?

B ペアリング [　　　　　　　　]。

커플링을 잃어버렸어요.

상황3 이게 얼마만에 하는 데이트인데!

A [　　　　　　　　]。

무슨 일이에요?

B 久(ひさ)しぶりの [　　　　　　　　]。

오랜만의 데이트를 깜빡했어요.

STEP 4 문제를 풀어 보며 실력을 쌓아 보세요!

Track 43-04

1 녹음을 듣고, 아래 내용이 맞으면 O, 틀리면 X 표시해 보세요.

❶ 久(ひさ)しぶりのデートをうっかりしました。

❷ ペアリングをなくしてしまいました。

2 다음 문장을 한국어로 해석해 보세요.

❶ 彼氏(かれし)の誕生日(たんじょうび)をうっかりしました。

▶ ____________________

❷ 最近(さいきん)忙(いそが)しくて忘(わす)れてしまいました。

▶ ____________________

❸ 早(はや)く連絡(れんらく)してみてください！

▶ ____________________

3 제시어를 참고하여 다음 문장을 일본어로 써 보세요.

❶ 기념일을 착각해 버렸어요.

▶ ____________________

❷ 여자 친구와의 약속을 잊어버렸어요.

▶ ____________________

❸ 어떡하지… 동료의 결혼식을 깜빡했어요.

▶ ____________________ (* 同僚(どうりょう) 동료)

Day 44 더욱 맛있게

오늘의 표현 제안 및 권유하는 표현을 학습해 봅시다.

표현 01 [   ] を加(くわ)えたらどうですか。

~을/를 추가하면 어때요?

표현 02 [   ] 買(か)ってきます。

~사 올게요.

STEP 1 실생활에서 일본인은 이렇게 말해요!

Track 44-01

메이

今日(きょう)はクリームシチューです！

쿄-와 쿠리-무시츄-데스

오늘은 크림 스튜예요!

마루

楽(たの)しみです！

타노시미데스

기대돼요!

메이

あ、どうしよう！お塩(しお)を入(い)れすぎました。

아 도-시요- 오시오오 이레스기마시타

앗, 어쩌지! 소금을 너무 많이 넣었어요.

마루

牛乳(ぎゅうにゅう)を加(くわ)えたらどうですか。

규-뉴-오 쿠와에타라 도-데스까

우유를 추가하면 어때요?

메이

残(のこ)ってる牛乳(ぎゅうにゅう)がありません。

노콧테루 규-뉴-가 아리마셍

남은 우유가 없어요.

마루

私(わたし)がコンビニで牛乳(ぎゅうにゅう)買(か)ってきます！

와타시가 콤비니데 규-뉴- 캇테 키마스

제가 편의점에서 우유 사 올게요!

새 단어

クリームシチュー 크림 스튜

牛乳(ぎゅうにゅう) 우유

加(くわ)える 더하다, 보태다, 늘리다

残(のこ)る 남다

STEP 2 다양한 상황 속에서 말해 보세요!

표현 01

[　　　　] を加(くわ)えたらどうですか。 ~을/를 추가하면 어때요?

오 쿠와에타라 도-데스까

「…たらどうですか 타라 도-데스까」는 '~하면 어때요?'라는 의미로 제안하거나 권유하는 표현입니다.

1. ごま油(あぶら)
   고마아부라
   참기름

2. 生卵(なまたまご)
   나마타마고
   날계란

3. ベーコン
   베-콩
   베이컨

표현 02

[　　　　] 買(か)ってきます。 ~사 올게요.

캇테 키마스

「…てくる 테 쿠루」는 '~해 오다'라는 뜻으로 회자쪽으로 다가오는 상황에서 쓰입니다. 위의 표현처럼 「買(か)ってきます 캇테 키마스」라고 쓰여 '사 올게요'라는 뜻을 나타냅니다.

1. インスタントご飯(はん)
   인스탄토 고항
   즉석밥

2. コンビニで缶(かん)ビール
   콤비니데 캄비-루
   편의점에서 캔 맥주

3. 近(ちか)くのスーパーでコチュジャン
   치카쿠노 스-파-데 코츄쟝
   근처 슈퍼에서 고추장

> **새 단어**
> インスタント 인스턴트
> 缶(かん) 캔
> スーパー 슈퍼, 마트
> コチュジャン 고추장

STEP 3 일본인과 대화하듯 말해 보세요!

- 녹음을 들으며 빈칸에 들어갈 말을 쓰고 따라 말해 보세요!

상황1 나는야 요리 천재, 솔루션을 제공하지!

A どうしよう！ ________。
어쩌지! 고추장을 너무 많이 넣었어요.

B 生卵(なまたまご) ________。
날달걀을 더하면 어때요?

상황2 맥주가 빠지면 섭섭해!

A ________ありません。
남아있는 맥주가 없어요.

B じゃ、________。
그럼 편의점에서 캔 맥주 사 올게요.

상황3 우유가 필요하면 사러 가면 되지~!

A これに ________。
여기에 우유를 추가하면 어때요?

B じゃ、________。
그럼 근처 슈퍼에서 우유 사 올게요.

STEP 4 문제를 풀어 보며 실력을 쌓아 보세요!

Track 44-04

1 녹음을 듣고, 아래 내용이 맞으면 O, 틀리면 X 표시해 보세요.

❶ ごま油(あぶら)を加(くわ)えたらどうですか。

❷ 残(のこ)ってる牛乳(ぎゅうにゅう)がありません。

2 다음 문장을 한국어로 해석해 보세요.

❶ 家(いえ)に残(のこ)ってる牛乳(ぎゅうにゅう)がありません。

❷ 私(わたし)がコンビニでインスタントご飯(はん)買(か)ってきます！

▶ ____________________

❸ コンビニで缶(かん)ビール買(か)ってきます。

▶ ____________________

3 제시어를 참고하여 다음 문장을 일본어로 써 보세요.

❶ 오늘은 규동이에요!

▶ ____________________ (* 牛丼(ぎゅうどん) 규동)

❷ 기대돼요!

▶ ____________________

❸ 어쩌지! 소금을 너무 많이 넣었어요!

▶ ____________________

Day 45

마음을 담아서

 오늘의 표현 선물하고 싶은 대상을 나타내는 표현과 선물을 추천할 때 쓰는 표현을 학습해 봅시다.

표현 01 [　　　　] にプレゼントをしたいです。

~에게 선물을 하고 싶어요.

표현 02 [　　　　] がおすすめです。

~을/를 추천해요.

STEP 1 실생활에서 일본인은 이렇게 말해요!

메이

吉野(よしの)さん、何(なに)見(み)てるんですか。

요시노상 나니 미테룬데스까

요시노 씨, 뭐 보는 거예요?

요시노

百貨店(ひゃっかてん)のカタログです。

햑카텐노 카타로구데스

백화점 카탈로그요.

메이

プレゼントですか。

푸레젠토데스까

선물이에요?

요시노

はい、母(はは)にプレゼントをしたいです。

하이 하하니 푸레젠토오 시타이데스

네, 엄마에게 선물을 하고 싶어요.

메이

ファンデがおすすめです。

환데가 오스스메데스

파운데이션을 추천해요.

요시노

やっぱりメイさん！ありがとうございます。

얍파리 메이상 아리가토-고자이마스

역시 메이 씨! 고마워요.

새 단어

百貨店(ひゃっかてん) 백화점

カタログ 카탈로그

母(はは) 엄마

ファンデ 파운데이션

おすすめ 추천

STEP 2 다양한 상황 속에서 말해 보세요!

표현 01

[　　　] にプレゼントをしたいです。 ~에게 선물을 하고 싶어요.
니 푸레젠토오 시타이데스

「…たい 타이」는 희망이나 욕구를 나타내는 표현으로, '~하고 싶다'라는 뜻입니다. 위의 표현과 같이 선물하고 싶은 대상을 넣어 '~에게 선물을 하고 싶다'라는 식으로 활용할 수 있습니다.

❶ ケンカした彼女(かのじょ)
켕카시타 카노죠
싸운 여자 친구

❷ 結婚記念日(けっこんきねんび)に夫(おっと)
켁콩키넴비니 옷토
결혼 기념일에 남편

❸ 私自身(わたしじしん)
와타시 지신
나 자신

새 단어

ケンカ 싸움

夫(おっと) 남편

표현 02

[　　　] がおすすめです。 ~을/를 추천해요.
가 오스스메데스

「おすすめ 오스스메」는 '추천'이라는 뜻으로 위의 표현과 같이 상대방에게 어떤 상품이나 서비스 등을 추천할 때 주로 쓰입니다.

❶ 名刺入れ(めいしい)
메-시이레
명함 지갑

❷ タンブラー
탐부라-
텀블러

❸ ディフューザー
디휴-자-
디퓨저

STEP 3 일본인과 대화하듯 말해 보세요!

Track 45-03

• 녹음을 들으며 빈칸에 들어갈 말을 쓰고 따라 말해 보세요!

상황1 나를 위한 선물을 줄래요!

A 私自身(わたしじしん) ＿＿＿＿＿＿＿＿。
나 자신에게 선물을 하고 싶어요.

B タンブラー ＿＿＿＿＿＿＿＿。
텀블러는 어때요?

상황2 아버지께 드릴 선물 추천 부탁해요!

A 父(ちち) ＿＿＿＿＿＿＿＿。
아빠에게 선물을 하고 싶어요.

B 名刺入れ(めいしい) ＿＿＿＿＿＿＿＿。
명함 지갑을 추천해요.

상황3 미션! 여자 친구와 화해하기

A ケンカした ＿＿＿＿＿＿＿＿。
싸운 여자 친구에게 선물을 하고 싶어요.

B ディフューザー ＿＿＿＿＿＿＿＿。
디퓨저를 추천해요.

STEP 4 문제를 풀어 보며 실력을 쌓아 보세요!

Track 45-04

1 녹음을 듣고, 아래 내용이 맞으면 O, 틀리면 X 표시해 보세요.

❶ 母(はは)にプレゼントをしたいです。

❷ ファンデがおすすめです。

2 다음 문장을 한국어로 해석해 보세요.

❶ 今(いま)何(なに)見(み)てるんですか。

▶ ______________________________

❷ 百貨店(ひゃっかてん)のカタログです。

▶ ______________________________

❸ 名刺入(めいしい)れがおすすめです。

▶ ______________________________

3 제시어를 참고하여 다음 문장을 일본어로 써 보세요.

❶ 결혼 기념일에 남편에게 선물을 하고 싶어요.

▶ ______________________________

❷ 파운데이션을 추천해요.

▶ ______________________________

❸ 스카프를 추천해요.

▶ ______________________________ (* スカーフ 스카프)

Day 46 추천 여행지

오늘의 표현 가급적 피하고 싶은 상황과 예상보다 못미치는 상황을 나타내는 표현을 학습해 봅시다.

표현 01 なるべく [　　　] たくないです。

웬만하면 ~(하)고 싶지 않아요.

표현 02 思(おも)ったより [　　　] ないです。

생각보다 ~않아요.

STEP 1 실생활에서 일본인은 이렇게 말해요!

Track 46-01

메이

今回(こんかい)の休(やす)みは海外旅行(かいがいりょこう)に行(い)こうと思(おも)います。

콩카이노 야스미와 카이가이료코-니 이코-토 오모이마스

이번 휴가는 해외여행을 가려고 해요.

요시노

国(くに)は決(き)めたんですか。

쿠니와 키메탄데스까

나라는 정한 거예요?

메이

なるべく近(ちか)い国(くに)には行(い)き**たくないです**。

나루베쿠 치카이 쿠니니와 이키타쿠 나이데스

웬만하면 가까운 나라에는 가고 싶지 않아요.

요시노

じゃ、ヨーロッパはどうですか。

쟈 요-롭파와 도-데스까

그럼 유럽은 어때요?

메이

ヨーロッパは物価(ぶっか)が高(たか)くて…。

요-롭파와 북카가 타카쿠테

유럽은 물가가 비싸서….

요시노

イタリアは**思(おも)ったより**高(たか)く**ないです**よ。

이타리아와 오못타요리 타카쿠 나이데스요

이탈리아는 생각보다 비싸지 않아요.

새 단어

- 今回(こんかい) 이번
- 国(くに) 나라, 국가
- 決(き)める 정하다, 결정하다
- なるべく 웬만하면, 되도록, 가능한 한
- 近(ちか)い 가깝다
- ヨーロッパ 유럽
- 物価(ぶっか) 물가
- 高(たか)い 비싸다
- イタリア 이탈리아
- …より ~보다

STEP 2 다양한 상황 속에서 말해 보세요!

표현 01

なるべく [　　　] たくないです。 웬만하면 ~(하)고 싶지 않아요.
나루베쿠 타쿠 나이데스

「…たくない 타쿠 나이」는 '~(하)고 싶지 않다'는 뜻으로 위의 표현처럼 「なるべく 나루베쿠」와 함께 써서 가급적 어떤 행동을 하고 싶지 않다는 바람을 나타낼 수 있습니다.

❶ 歩(ある)き
아루키
걷고

❷ 飛行機(ひこうき)に乗(の)り
히코-키니 노리
비행기를 타고

❸ パッケージツアーし
팍케-지 츠아- 시
패키지 여행하고

새 단어
歩(ある)く 걷다
飛行機(ひこうき) 비행기
パッケージツアー 패키지 여행

표현 02

思(おも)ったより [　　　] ないです。 생각보다 ~않아요.
오못타요리 나이데스

「思(おも)ったより 오못타요리」는 '생각보다'라는 뜻으로 위의 표현처럼 예상했던 기준에 못미치는 상황을 나타낼 때 쓸 수 있습니다.

❶ 遠(とお)く
토-쿠
멀지

❷ 人(ひと)は多(おお)く
히토와 오-쿠
사람은 많지

❸ 親切(しんせつ)じゃ
신세츠쟈
친절하지

새 단어
多(おお)い 많다

STEP 3 일본인과 대화하듯 말해 보세요!

Track 46-03

• 녹음을 들으며 빈칸에 들어갈 말을 쓰고 따라 말해 보세요!

상황1 되도록 비행기는 안 탔으면…!

A 今回(こんかい)の休(やす)みにハワイは ＿＿＿＿＿＿＿＿。

이번 휴가에 하와이는 어때요?

B なるべく ＿＿＿＿＿＿＿＿＿＿＿＿。

웬만하면 비행기를 타고 싶지 않아요.

상황2 이탈리아? 마음만 먹으면 갈 수 있지!

A イタリアって ＿＿＿＿＿＿＿＿＿＿。

이탈리아는 멀어요?

B ＿＿＿＿＿＿＿＿＿＿＿＿＿＿。

생각보다 멀지 않아요.

상황3 패키지보다 자유 여행이 좋은데….

A なるべく ＿＿＿＿＿＿＿＿＿＿＿＿。

웬만하면 패키지 여행하고 싶지 않아요.

B パッケージツアーって、＿＿＿＿＿＿＿＿。

패키지 여행은 생각보다 비싸지 않아요.

STEP 4 문제를 풀어 보며 실력을 쌓아 보세요!

1 녹음을 듣고, 아래 내용이 맞으면 O, 틀리면 X 표시해 보세요.

❶ なるべく近(ちか)い国(くに)には行(い)きたくないです。

❷ イタリアは思(おも)ったより高(たか)くないですよ。

2 다음 문장을 한국어로 해석해 보세요.

❶ 今回(こんかい)の休(やす)みは海外旅行(かいがいりょこう)に行(い)こうと思(おも)います。

▶ ______________________

❷ なるべく歩(ある)きたくないです。

▶ ______________________

❸ 思(おも)ったより親切(しんせつ)じゃないです。

▶ ______________________

3 제시어를 참고하여 다음 문장을 일본어로 써 보세요.

❶ 나라는 정한 거예요?

▶ ______________________

❷ 그럼 동남아시아는 어때요?

▶ ______________________ (* 東南(とうなん)アジア 동남아시아)

❸ 유럽은 물가가 비싸서….

▶ ______________________

Day 47

마음까지 리프레시

오늘의 표현 기분 전환으로 하는 것과 할지 말지 고민되는 것을 나타내는 표현을 학습해 봅시다.

표현 01 気分転換(きぶんてんかん)に [　　　　] ました。

기분 전환으로 ~(했)어요.

표현 02 久(ひさ)しぶりに [　　　　] かな。

오랜만에 ~(할)까?

STEP 1 실생활에서 일본인은 이렇게 말해요!

Track 47-01

메이

お、雰囲気(ふんいき)変(か)わりましたね！

오 홍이키 카와리마시타네

오, 분위기 달라졌네요!

요시노

ええ、**気分転換(きぶんてんかん)に**パーマかけ**ました**。

에- 키분텡칸니 파-마 카케마시타

네, 기분 전환으로 파마했어요.

메이

よく似合(にあ)ってます！

요쿠 니앗테마스

잘 어울려요!

요시노

ありがとうございます。

아리가토-고자이마스

고마워요.

메이

私(わたし)も**久(ひさ)しぶりに**カラーしよう**かな**。

와타시모 히사시부리니 카라- 시요-카나

나도 오랜만에 염색할까?

요시노

いいですね！

이-데스네

좋네요!

새 단어

変(か)わる 바뀌다, 변하다

気分転換(きぶんてんかん) 기분 전환

パーマ 파마

かける (파마를) 하다

似合(にあ)う 어울리다

カラー 염색

STEP 2 다양한 상황 속에서 말해 보세요!

표현 01

気分転換(きぶんてんかん)に [　　　] ました。 기분 전환으로 ~(했)어요.
키분텡칸니 　마시타

「気分転換(きぶんてんかん)に 키분텡칸니」는 '기분 전환으로'라는 뜻으로 위의 표현처럼 어떤 기분이나 감정 상태를 바꾸기 위해 하는 행동을 말할 때 쓸 수 있습니다.

❶ カラコンをつけ
카라콩오 츠케
컬러 렌즈를 꼈

❷ ネイルし
네-루 시
네일했

❸ 香水(こうすい)をつけ
코-스이오 츠케
향수를 뿌렸

새 단어

カラコン 컬러 렌즈
つける (렌즈를) 끼다, (향수를) 뿌리다
ネイル 네일(아트)
香水(こうすい) 향수

표현 02

久(ひさ)しぶりに [　　　] かな。 오랜만에 ~(할)까?
히사시부리니 　카나

동사의 의지형에 「…かな 카나」를 붙이면 '~할까?'라는 뜻이 됩니다. 위의 표현처럼 자기 자신에게 묻거나 자신의 의지를 확인할 때 쓸 수 있습니다.

❶ 前髪(まえがみ)切(き)ろう
마에가미 키로-
앞머리 자를

❷ エステに行(い)こう
에스테니 이코-
에스테틱에 갈

❸ メイクをしよう
메-쿠오 시요-
화장을 할

Tip

색조 화장품은 「コスメ 코스메」라고 하고, 스킨로션과 같은 기초 화장품은 「スキンケア 스킹케아」라고 해요.

새 단어

前髪(まえがみ) 앞머리
切(き)る 자르다
エステ 에스테틱
メイク 화장, 메이크업

STEP 3 일본인과 대화하듯 말해 보세요!

● 녹음을 들으며 빈칸에 들어갈 말을 쓰고 따라 말해 보세요!

상황1 컬러 렌즈로 분위기 바꾸기!

A お、雰囲気(ふんいき) ________。

오, 분위기 달라졌네요!

B 気分転換(きぶんてんかん)に ________。

기분 전환으로 컬러 렌즈를 꼈어요.

상황2 화장으로 예의를 갖춰 볼까?

A 久(ひさ)しぶりに ________。

오랜만에 화장을 할까?

B ________!

좋네요!

상황3 리프레시하기 가장 빠른 방법!

A 気分転換(きぶんてんかん)に ________。

기분 전환으로 파마했어요.

B 私(わたし)も ________。

나도 오랜만에 앞머리 자를까?

STEP 4 문제를 풀어 보며 실력을 쌓아 보세요!

Track 47-04

1 녹음을 듣고, 아래 내용이 맞으면 O, 틀리면 X 표시해 보세요.

❶ 気分転換(きぶんてんかん)にパーマかけました。

❷ 私(わたし)も久(ひさ)しぶりにカラーしようかな。

2 다음 문장을 한국어로 해석해 보세요.

❶ 気分転換(きぶんてんかん)にネイルしました。

❷ 気分転換(きぶんてんかん)に香水(こうすい)をつけました。

▶ ______________________________

❸ 久(ひさ)しぶりにエステに行(い)こうかな。

▶ ______________________________

3 제시어를 참고하여 다음 문장을 일본어로 써 보세요.

❶ 오늘 분위기 달라졌네요!

▶ ______________________________

❷ 잘 어울려요!

▶ ______________________________

❸ 기분 전환으로 아이쇼핑했어요.

▶ ______________________________

(* ウィンドウショッピングする 아이쇼핑하다)

Day 48 뭐든 과유불급

오늘의 표현 충분한 상태를 나타내는 표현과 그 이상의 상태를 나타내는 표현을 학습해 봅시다.

표현 01 十分 [　　　　] と思います。

충분히 ~(인/한) 것 같아요(라고 생각해요).

표현 02 もっと [　　　　] たいです。

더욱 ~(하)고 싶어요.

STEP 1 실생활에서 일본인은 이렇게 말해요!

Track 48-01

요시노

またサラダですね。
마타 사라다데스네
또 샐러드군요.

메이

はい、今からランチしようと思って。
하이 이마카라 란치 시요-토 오못테
네, 지금부터 점심 먹으려고요.

요시노

いや、それだけですか。
이야 소레다케데스까
아니, 그것뿐이에요?

메이

はい、ダイエット中です。
하이 다이엣토츄-데스
네, 다이어트 중이에요.

요시노

このままでも十分可愛いと思います。
코노마마데모 쥬-붕 카와이-토 오모이마스
이대로도 충분히 귀여운 것 같아요.

메이

もっとモテたいです。
못토 모테타이데스
더 인기있고 싶어요.

새 단어

サラダ 샐러드
今から 지금부터, 이제부터
…だけ ~뿐, ~만
…中 ~중
このまま 이대로
十分 충분히
もっと 더, 더욱
モテる (이성에게) 인기 있다

STEP 2 다양한 상황 속에서 말해 보세요!

표현 01

十分(じゅうぶん) [　　　　] と思(おも)います。 충분히 ~(인/한) 것 같아요(라고 생각해요).
쥬-붕 토 오모이마스

「十分(じゅうぶん) 쥬-붕」은 '충분히'라는 뜻으로 위의 표현처럼 쓰여 충분히 어떠하다는 주관적인 생각을 나타낼 수 있습니다.

① 細(ほそ)い
호소이
날씬한

② かっこいい
칵코이-
멋있는

③ 効果的(こうかてき)だ
코-카테키다
효과적인

표현 02

もっと [　　　　] たいです。 더욱 ~(하)고 싶어요.
못토 타이데스

「もっと 못토」는 '더, 더욱'이라는 뜻으로 위의 표현처럼 쓰여 지금보다 한층 더 하고 싶은 것에 대해 나타낼 수 있습니다.

① 体重(たいじゅう)を落(お)とし
타이쥬-오 오토시
체중을 줄이고

② 脂肪(しぼう)をカットし
시보-오 캇토 시
지방을 빼고

③ 筋肉質(きんにくしつ)になり
킨니쿠시츠니 나리
근육질이 되고

새 단어

体重(たいじゅう) 체중, 몸무게
落(お)とす 줄이다, 낮추다
脂肪(しぼう) 지방
カット 잘라냄, 삭제
筋肉質(きんにくしつ) 근육질
なる 되다

STEP 3 일본인과 대화하듯 말해 보세요!

- 녹음을 들으며 빈칸에 들어갈 말을 쓰고 따라 말해 보세요!

상황1 평생의 숙제, 다이어트!

A 今(いま) [　　　　　　　　]。
지금 다이어트 중이에요.

B 十分(じゅうぶん) [　　　　　　　　]。
충분히 날씬하다고 생각해요.

상황2 내 몸과 하나가 된 지방, 이제 좀 놓아줄게!

A また [　　　　　　　　]。
또 다이어트예요?

B 今(いま)より [　　　　　　　　]。
지금보다 더욱 지방을 빼고 싶어요.

상황3 지금도 충분히 좋아 보이는데…?

A もっと [　　　　　　　　]。
더욱 근육질이 되고 싶어요.

B このままでも [　　　　　　　　]。
이대로도 충분히 멋있다고 생각해요.

STEP 4 문제를 풀어 보며 실력을 쌓아 보세요!

Track 48-04

1 녹음을 듣고, 아래 내용이 맞으면 O, 틀리면 X 표시해 보세요.

❶ このままでも十分(じゅうぶん)可愛(かわい)いと思(おも)います。

❷ もっとモテたいです。

2 다음 문장을 한국어로 해석해 보세요.

❶ 今(いま)からランチしようと思(おも)って。

▶ ______________________________

❷ いや、それだけですか。

▶ ______________________________

❸ 十分(じゅうぶん)かっこいいと思(おも)います。

▶ ______________________________

3 제시어를 참고하여 다음 문장을 일본어로 써 보세요.

❶ 또 닭가슴살이군요.

▶ ______________________________ (* 鶏(とり)むね肉(にく) 닭가슴살)

❷ 요즘 다이어트 중이에요.

▶ ______________________________

❸ 충분히 효과적인 것 같아요.

▶ ______________________________

Day 49

회복에 전념

오늘의 표현 건강 상태를 나타내는 표현을 학습해 봅시다.

표현 01 [　　　　]の調子(ちょうし)が悪(わる)いです。

~상태가 안 좋아요.

표현 02 できれば [　　　　] ないでください。

가능하면 ~마세요.

STEP 1 실생활에서 일본인은 이렇게 말해요!

Track 49-01

메이

あれ。湿布(しっぷ)だらけですね。

아레 십푸다라케데스네

엥? 파스투성이네요.

요시노

足首(あしくび)の調子(ちょうし)が悪(わる)いです。

아시쿠비노 쵸-시가 와루이데스

발목 상태가 안 좋아요.

메이

ケガしたんですか。

케가시탄데스까

다쳤어요?

요시노

昨日(きのう)ジムでケガしました。

키노- 지무데 케가 시마시타

어제 헬스장에서 다쳤어요.

메이

できれば運動(うんどう)はしないでください。

데키레바 운도-와 시나이데 쿠다사이

가능하면 운동은 하지 마세요.

요시노

あぁ、筋肉(きんにく)が落(お)ちるのに…。

아- 킨니쿠가 오치루노니

아, 근육이 빠지는데….

새 단어

- 湿布(しっぷ) 파스
- …だらけ ~투성이
- 足首(あしくび) 발목
- 調子(ちょうし) 상태, 컨디션
- 悪(わる)い 안 좋다, 나쁘다
- ケガする 다치다
- できれば 가능하면
- 落(お)ちる (근육이) 빠지다
- …のに ~는데

STEP 2 다양한 상황 속에서 말해 보세요!

표현 01

[　　　　　]の調子(ちょうし)が悪(わる)いです。 ~상태가 안 좋아요.
노 쵸-시가 와루이데스

「調子(ちょうし)が悪(わる)い 쵸-시가 와루이」는 '몸 상태/컨디션이 안 좋다'라는 뜻으로 위의 표현처럼 특정 부위의 건강 상태를 나타낼 때 쓸 수 있는 표현입니다.

① 最近(さいきん)、肌(はだ)
사이킹 하다
최근에 피부

② 昨日(きのう)から目(め)
키노-카라 메
어제부터 눈

③ お腹(なか)
오나카
배(복부)

새 단어
肌(はだ) 피부
目(め) 눈(신체)

표현 02

できれば [　　　　　] ないでください。 가능하면 ~마세요.
데키레바 나이데 쿠다사이

「できれば 데키레바」는 '가능하면'이라는 뜻으로 위의 표현처럼 어떤 동작을 되도록 하지 않도록 상대방에게 지시하거나 부탁할 때 쓸 수 있습니다.

① 無理(むり)し
무리 시
무리하지

② コンタクトはつけ
콘타쿠토와 츠케
콘택트렌즈는 끼지

③ 動(うご)か
우고카
움직이지

새 단어
コンタクト 콘택트렌즈

STEP 3 일본인과 대화하듯 말해 보세요!

Track 49-03

● 녹음을 들으며 빈칸에 들어갈 말을 쓰고 따라 말해 보세요!

상황1 요즘 내 피부는 엉망…!

A 最近(さいきん) ____________。

최근에 피부 상태가 안 좋아요.

B できれば ____________。

가능하면 무리하지 마세요.

상황2 콘택트렌즈를 끼면 예쁘지만 눈에 나빠요!

A 昨日(きのう)から ____________。

어제부터 눈이 아파요.

B できれば ____________。

가능하면 콘택트렌즈는 끼지 마세요.

상황3 발목을 삐끗삐끗

A 足首(あしくび) ____________。

발목 상태가 안 좋아요.

B できれば ____________。

가능하면 움직이지 마세요.

STEP 4 문제를 풀어 보며 실력을 쌓아 보세요!

Track 49-04

1 녹음을 듣고, 아래 내용이 맞으면 O, 틀리면 X 표시해 보세요.

❶ 足首(あしくび)の調子(ちょうし)が悪(わる)いです。

❷ できれば運動(うんどう)はしないでください。

2 다음 문장을 한국어로 해석해 보세요.

❶ 昨日(きのう)から目(め)の調子(ちょうし)が悪(わる)いです。

▶ ______________________________

❷ できれば動(うご)かないでください。

▶ ______________________________

❸ あぁ、筋肉(きんにく)が落(お)ちるのに…。

▶ ______________________________

3 제시어를 참고하여 다음 문장을 일본어로 써 보세요.

❶ 다쳤어요?

▶ ______________________________

❷ 오늘 헬스장에서 다쳤어요.

▶ ______________________________

❸ 멍투성이네요.

▶ ______________________________ (* あざ 멍, 반점)

Day 50 열심히 사는 인생

 오늘의 표현 직업을 소개하는 표현을 학습해 봅시다.

표현 01 [　　　　] をしています。

~을/를 하고 있어요.

표현 02 [　　　　] で働(はたら)いています。

~에서 일하고 있어요.

STEP 1 실생활에서 일본인은 이렇게 말해요!

다구치

お仕事(しごと)は何(なん)ですか。

오시고토와 난데스까

직업이 뭐예요?

요시노

マーケティングの仕事(しごと)**をしています**。

마-케팅구노 시고토오 시테 이마스

마케팅 일을 하고 있어요.

다구치

わぁ、素敵(すてき)ですね！

와- 스테키데스네

와, 멋지네요!

요시노

いえいえ。田口(たぐち)さんは。

이에이에 타구치상와

아니에요. 다구치 씨는요?

다구치

私(わたし)はカフェ**で働(はたら)いています**。

와타시와 카훼데 하타라이테 이마스

저는 카페에서 일하고 있어요.

요시노

おっ、バリスタ！かっこいいですね。

옷 바리스타 칵코이-데스네

오, 바리스타! 멋있네요.

> **새 단어**
> 仕事(しごと) 직업, 일
> マーケティング 마케팅
> 働(はたら)く 일하다
> バリスタ 바리스타

STEP 2 다양한 상황 속에서 말해 보세요!

표현 01

[　　　　] をしています。 ~을/를 하고 있어요.
오 시테 이마스

직업을 나타내는 명사에 '~하고 있다'라는 뜻의 「…している 시테 이루」를 붙이면 어떤 직업에 종사하고 있는지 나타낼 수 있습니다.

① 大学(だいがく)で教授(きょうじゅ)
다이가쿠데 쿄-쥬
대학에서 교수

② デザインの仕事(しごと)
데자인노 시고토
디자인 일

③ 公務員(こうむいん)
코-무잉
공무원

새 단어
大学(だいがく) 대학(교)
教授(きょうじゅ) 교수

표현 02

[　　　　] で働(はたら)いています。 ~에서 일하고 있어요.
데 하타라이테 이마스

「…で働(はたら)く 데 하타라쿠」는 '~에서 일하다'라는 뜻으로 구체적인 근무 장소를 말할 때 쓸 수 있습니다.

① 幼稚園(ようちえん)
요-치엥
유치원

② スタバ
스타바
스타벅스

③ 日系企業(にっけいきぎょう)
닉케-키교-
일본계 기업

STEP 3 일본인과 대화하듯 말해 보세요!

Track 50-03

- 녹음을 들으며 빈칸에 들어갈 말을 쓰고 따라 말해 보세요!

상황1 내 직업은 디자이너!

A ______ 何(なん)ですか。
직업이 뭐예요?

B デザインの ______。
디자인 일을 하고 있어요.

상황2 일본계 기업에서 전공을 살렸어요!

A どこ ______。
어디에서 일하고 있어요?

B 日系企業(にっけいきぎょう) ______。
일본계 기업에서 일하고 있어요.

상황3 다양한 직업에 종사하는 사람들

A この ______。
이 대학에서 교수를 하고 있어요.

B 私(わたし)は駅前(えきまえ)の ______。
저는 역 앞의 스타벅스에서 일하고 있어요.

STEP 4 문제를 풀어 보며 실력을 쌓아 보세요!

Track 50-04

1 녹음을 듣고, 아래 내용이 맞으면 O, 틀리면 X 표시해 보세요.

❶ マーケティングの仕事(しごと)をしています。

❷ 私(わたし)はカフェで働(はたら)いています。

2 다음 문장을 한국어로 해석해 보세요.

❶ 大学(だいがく)で教授(きょうじゅ)をしています。

▶ ______________________________

❷ わぁ、素敵(すてき)ですね！

▶ ______________________________

❸ 父(ちち)は日系企業(にっけいきぎょう)で働(はたら)いています。

▶ ______________________________

3 제시어를 참고하여 다음 문장을 일본어로 써 보세요.

❶ 오, 바리스타! 멋있네요.

▶ ______________________________

❷ 그 사람은 직업이 뭐예요?

▶ ______________________________

❸ 편집 일을 하고 있어요.

▶ ______________________________ (* 編集(へんしゅう) 편집)

Day 51 바쁘다, 바빠!

오늘의 표현 매우 바쁜 상태를 나타내는 표현과 도움이 필요한지 묻는 표현을 학습해 봅시다.

표현 01 ______ でバタバタしています。

~때문에 정신없어요.

표현 02 よかったら ______ ましょうか。

괜찮으면 ~(할)까요?

STEP 1 실생활에서 일본인은 이렇게 말해요!

Track 51-01

메이

吉野(よしの)さん、帰(かえ)らないんですか。

요시노상 카에라나인데스까

요시노 씨, 집에 안 가요?

요시노

はい、することが多(おお)くて…。

하이 스루 코토가 오-쿠테

네, 할 일이 많아서….

메이

何(なに)してるんですか。

나니 시테룬데스까

뭐 하고 있는 거예요?

요시노

棚卸(たなおろ)しでバタバタしています。

타나오로시데 바타바타 시테 이마스

재고 조사 때문에 정신없어요.

메이

よかったら手伝(てつだ)いましょうか。

요캇타라 테츠다이마쇼-까

괜찮으면 도와줄까요?

요시노

大丈夫(だいじょうぶ)です。ありがとうございます。

다이죠-부데스 아리가토-고자이마스

괜찮아요. 고마워요.

새 단어

동사+こと ~하는 것

棚卸(たなおろ)し 재고 조사

バタバタする 정신없다, 바쁘다, 허둥대다

手伝(てつだ)う 돕다

大丈夫(だいじょうぶ)だ 괜찮다

STEP 2 다양한 상황 속에서 말해 보세요!

표현 01

[　　　　] でバタバタしています。 ~때문에 정신없어요.
데 바타바타 시테 이마스

「…でバタバタする 데 바타바타 스루」는 '~때문에 정신없다'라는 의미로 매우 급하게 서두르거나 바빠서 허둥대는 상황을 나타내는 표현입니다.

❶ お店(みせ)の掃除(そうじ)
오미세노 소-지
가게 청소

❷ 今(いま)、締(し)め切(き)り
이마 시메키리
지금 마감

❸ 新商品(しんしょうひん)のテスト
신쇼-힌노 테스토
신상품 테스트

새 단어
お店(みせ) 가게
締(し)め切(き)り 마감
新商品(しんしょうひん) 신상품

표현 02

よかったら [　　　　] ましょうか。 괜찮으면 ~(할)까요?
요캇타라 마쇼-까

동사 ます형에 「ましょうか 마쇼-까」를 붙이면 '~할까요?'라는 뜻이 됩니다. 위의 표현처럼 상대방에게 도움이 필요한지 묻는 경우에 활용할 수 있습니다.

❶ 私(わたし)が代(か)わりにし
와타시가 카와리니 시
제가 대신할

❷ 一緒(いっしょ)に片付(かたづ)け
잇쇼니 카타즈케
같이 정리할

❸ 駅(えき)まで送(おく)り
에키마데 오쿠리
역까지 바래다줄

새 단어
代(か)わりに 대신에
駅(えき) 역
送(おく)る 바래다주다, 데려다주다

STEP 3 일본인과 대화하듯 말해 보세요!

Track 51-03

- 녹음을 들으며 빈칸에 들어갈 말을 쓰고 따라 말해 보세요!

상황1 마감일은 꼭 지켜야지!

A え、＿＿＿＿＿＿＿＿。

억, 집에 안 가요?

B 今(いま)、＿＿＿＿＿＿＿＿。

지금 마감 때문에 정신없어요.

상황2 같이 하면 기쁨은 두 배, 힘듦은 반으로!

A 片付(かたづ)けることが＿＿＿＿＿＿＿＿。

정리할 게 많아서….

B よかったら＿＿＿＿＿＿＿＿。

괜찮으면 같이 정리할까요?

상황3 재고 조사는 끝이 나지 않고….

A ＿＿＿＿＿＿＿＿。

재고 조사 때문에 정신없어요.

B よかったら＿＿＿＿＿＿＿＿。

괜찮으면 도와줄까요?

STEP 4 문제를 풀어 보며 실력을 쌓아 보세요!

Track 51-04

1 녹음을 듣고, 아래 내용이 맞으면 O, 틀리면 X 표시해 보세요.

❶ 棚卸(たなおろ)しでバタバタしています。

❷ よかったら手伝(てつだ)いましょうか。

2 다음 문장을 한국어로 해석해 보세요.

❶ よかったら駅(えき)まで送(おく)りましょうか。

▶ ____________________

❷ することが多(おお)くて…。

▶ ____________________

❸ 新商品(しんしょうひん)のテストでバタバタしています。

▶ ____________________

3 제시어를 참고하여 다음 문장을 일본어로 써 보세요.

❶ 뭐 하고 있는 거예요?

▶ ____________________

❷ 보고서 때문에 정신없어요.

▶ ____________________ (* 報告書(ほうこくしょ) 보고서)

❸ 괜찮아요. 고마워요.

▶ ____________________

Day 52 이직할 결심

오늘의 표현 순조롭게 진행 중인지 묻는 표현과 과감히 결심을 내릴 때 쓰는 표현을 학습해 봅시다.

표현 01 [ ] は順調(じゅんちょう)ですか。

~은/는 순조롭나요?

표현 02 思(おも)い切(き)って [ ] ました。

큰맘 먹고 ~(했)어요.

STEP 1 실생활에서 일본인은 이렇게 말해요!

Track 52-01

메이

就活(しゅうかつ)は順調(じゅんちょう)ですか。

슈-카츠와 쥰쵸-데스까

취업 준비는 순조롭나요?

사토

はい、なんとか。

하이 난토카

네, 그럭저럭(어떻게든).

메이

てか、なんで転職(てんしょく)を決(き)めたんですか。

테카 난데 텐쇼쿠오 키메탄데스까

그건 그렇고, 왜 이직을 결정한 거예요?

사토

残業手当(ざんぎょうてあて)がなかったです。

장교-테아테가 나캇타데스

잔업 수당이 없었어요.

메이

最悪(さいあく)！ブラックじゃん！

사이아쿠 부락쿠쟝

최악! 악덕 기업이잖아!

사토

で、思(おも)い切(き)ってやめました。

데 오모이킷테 야메마시타

그래서 큰맘 먹고 그만뒀어요.

새 단어

- 就活(しゅうかつ) 취업 준비, 취준
- 順調(じゅんちょう)だ 순조롭다
- なんとか 그럭저럭, 간신히
- てか 그건 그렇고
- 転職(てんしょく) 이직
- 手当(てあて) 수당
- 最悪(さいあく)だ 최악이다
- ブラック(企業(きぎょう)) 악덕 기업
- …じゃん ~(이)잖아
- で 그래서
- 思(おも)い切(き)って 큰맘 먹고, 과감히, 눈 딱 감고
- やめる 그만두다

STEP 2 다양한 상황 속에서 말해 보세요!

표현 01

[　　　　] は順調（じゅんちょう）ですか。 ~은/는 순조롭나요?
와　준쵸-데스까

「順調（じゅんちょう）ですか 쥰쵸-데스까」는 '순조롭나요?'라는 의미로 어떤 상황이나 일 등이 문제 없이 잘 진행되고 있는지 묻는 표현입니다.

❶ 会議（かいぎ）の準備（じゅんび）
카이기노　쥼비
회의 준비

❷ 村山（むらやま）さん、報告書（ほうこくしょ）
무라야마상　호-콕쇼
무라야마 씨, 보고서

❸ 商品（しょうひん）の販売（はんばい）
쇼-힌노　함바이
상품 판매

새 단어
商品（しょうひん） 상품
販売（はんばい） 판매

표현 02

思（おも）い切（き）って [　　　　] ました。 큰맘 먹고 ~(했)어요.
오모이킷테　마시타

「思（おも）い切（き）って 오모이킷테」는 '큰맘 먹고, 눈 딱 감고'라는 뜻으로 위의 표현처럼 과감하게 어떤 결심을 내렸다는 것을 나타낼 때 쓸 수 있는 표현입니다.

❶ 私（わたし）がすることにし
와타시가 스루　코토니　시
제가 하기로 했

❷ 部署（ぶしょ）を変（か）え
부쇼오　카에
부서를 바꿨

❸ 履歴書（りれきしょ）を出（だ）し
리렉쇼오　다시
이력서를 냈

새 단어
部署（ぶしょ） 부서
変（か）える 바꾸다
履歴書（りれきしょ） 이력서
出（だ）す 내다, 제출하다

STEP 3 일본인과 대화하듯 말해 보세요!

Track 52-03

- 녹음을 들으며 빈칸에 들어갈 말을 쓰고 따라 말해 보세요!

상황1 보고서? 어렵지 않아요.

A 報告書(ほうこくしょ) ＿＿＿＿＿＿＿＿。

보고서는 순조롭나요?

B はい、＿＿＿＿＿＿＿＿。

네, 순조로워요.

상황2 까다로운 회의 준비는 제가 할게요!

A 会議(かいぎ)の準備(じゅんび)は ＿＿＿＿＿＿＿＿。

회의 준비는 누가 해요?

B 思(おも)い切(き)って ＿＿＿＿＿＿＿＿。

큰맘 먹고 제가 하기로 했어요.

상황3 취업을 위한 첫 단계!

A 就活(しゅうかつ) ＿＿＿＿＿＿＿＿。

취업 준비는 순조롭나요?

B はい。昨日(きのう)、＿＿＿＿＿＿＿＿。

네, 어제 큰맘 먹고 이력서를 냈어요.

STEP 4 문제를 풀어 보며 실력을 쌓아 보세요!

Track 52-04

1 녹음을 듣고, 아래 내용이 맞으면 O, 틀리면 X 표시해 보세요.

❶ 就活(しゅうかつ)は順調(じゅんちょう)ですか。

❷ 残業手当(ざんぎょうてあて)がなかったです。

2 다음 문장을 한국어로 해석해 보세요.

❶ はい、なんとか。

▶ ______________________________

❷ 村山(むらやま)さん、商品(しょうひん)の販売(はんばい)は順調(じゅんちょう)ですか。

▶ ______________________________

❸ 最悪(さいあく)！ブラックじゃん！

▶ ______________________________

3 제시어를 참고하여 다음 문장을 일본어로 써 보세요.

❶ 그건 그렇고, 왜 이직을 결정한 거예요?

▶ ______________________________

❷ 큰맘 먹고 부서를 바꿨어요.

▶ ______________________________

❸ 미팅은 순조롭나요?

▶ ______________________________ (* ミーティング 미팅)

Day 53

적당히 마셔요!

오늘의 표현 과음했을 때 쓸 수 있는 표현과 좋지 않은 것을 나타내는 표현을 학습해 봅시다.

표현 01 酔(よ)っ払(ぱら)って [　　　　] ました。

너무 취해서 ~(했)어요.

표현 02 やっぱり [　　　　] はよくないです。

역시 ~은/는 좋지 않아요.

STEP 1 실생활에서 일본인은 이렇게 말해요!

Track 53-01

메이

忘年会(ぼうねんかい)で飲(の)みすぎました…。

보-넹카이데 노미스기마시타

송년회에서 과음했어요….

요시노

体(からだ)を考(かんが)えてくださいよ、本当(ほんとう)。

카라다오 캉가에테 쿠다사이요 혼토-

몸을 생각해 주세요, 정말.

메이

家(いえ)までタクシーで2万円(にまんえん)でした。

이에마데 탁시-데 니망엔데시타

집까지 택시로 2만 엔이었어요.

요시노

電車(でんしゃ)で帰(かえ)らなかったんですか。

덴샤데 카에라나캇탄데스까

전철로 안 갔어요?

메이

酔(よ)っ払(ぱら)って終電(しゅうでん)も逃(のが)し**ました**。

욥파랏테 슈-뎀모 노가시마시타

너무 취해서 막차도 놓쳤어요.

요시노

やっぱり飲(の)みすぎ**はよくないです**。

얍파리 노미스기와 요쿠나이데스

역시 과음은 좋지 않아요.

새 단어

- 忘年会(ぼうねんかい) 송년회
- 飲(の)みすぎる 과음하다
- 電車(でんしゃ) 전철
- 酔(よ)っ払(ぱら)う 너무 취하다
- 終電(しゅうでん) 막차
- 逃(のが)す 놓치다

STEP 2 다양한 상황 속에서 말해 보세요!

표현 01

よ　ばら
酔っ払って [　　　] ました。 너무 취해서 ~(했)어요.
욥파랏테　　　　마시타

「酔っ払う 욥파라우」는 '너무 취하다, 몹시 취하다'라는 의미로 위의 표현처럼 취해서 한 실수에 대해 말할 때 쓸 수 있습니다.

1. しつげん
   失言し
   시츠겐시
   실언했

2. スマホをなくし
   스마호오　나쿠시
   스마트폰을 잃어버렸

3. もと
   元カレにメールし
   모토카레니　메-루　시
   전 남친에게 문자했

새 단어

元カレ(もと) 전 남친(전 남자 친구)

メール 문자, 메일

표현 02

やっぱり [　　　] はよくないです。 역시 ~은/는 좋지 않아요.
얍파리　　　와　요쿠나이데스

'좋다'라는 뜻의 「いい 이-」를 '좋지 않다'라는 부정형으로 바꿔 쓰면 「よくない 요쿠나이」가 되니 주의하세요.

1. くうふく　さけ
   空腹にお酒
   쿠-후쿠니　오사케
   공복에 술

2. ダイエットにビール
   다이엣토니　비-루
   다이어트에 맥주

3. よ　ざ
   酔い覚めにラーメン
   요이자메니　라-멩
   해장에 라면

새 단어

空腹(くうふく) 공복

酔い覚め(よざ) 해장, 술 깨는 것

ラーメン 라면

STEP 3 일본인과 대화하듯 말해 보세요!

Track 53-03

● 녹음을 들으며 빈칸에 들어갈 말을 쓰고 따라 말해 보세요!

상황1 취해서 잃어버린 휴대 전화만 몇 개인지?

A ＿＿＿＿＿＿＿＿＿＿。

너무 취해서 스마트폰을 잃어버렸어요.

B 飲(の)みすぎは ＿＿＿＿＿＿＿＿＿＿。

과음은 좋지 않아요.

상황2 속이 너무 쓰려….

A お腹(なか)の ＿＿＿＿＿＿＿＿＿＿。

배 상태가 안 좋아요.

B ＿＿＿＿＿＿＿＿＿＿。

역시 공복에 술은 좋지 않아요.

상황3 막차까지 놓치게 만든 송년회!

A 電車(でんしゃ)で ＿＿＿＿＿＿＿＿＿＿。

전철로 안 갔어요?

B ＿＿＿＿＿＿＿＿＿＿。

너무 취해서 막차도 놓쳤어요.

STEP 4 문제를 풀어 보며 실력을 쌓아 보세요!

Track 53-04

1 녹음을 듣고, 아래 내용이 맞으면 O, 틀리면 X 표시해 보세요.

❶ 酔(よ)っ払(ぱら)って終電(しゅうでん)も逃(のが)しました。

❷ やっぱり飲(の)みすぎはよくないです。

2 다음 문장을 한국어로 해석해 보세요.

❶ 体(からだ)を考(かんが)えてくださいよ、本当(ほんとう)。

▶ ______________________________

❷ 家(いえ)までタクシーで2万円(にまんえん)でした。

▶ ______________________________

❸ 酔(よ)っ払(ぱら)って元(もと)カレにメールしました。

▶ ______________________________

3 제시어를 참고하여 다음 문장을 일본어로 써 보세요.

❶ 동창회에서 과음했어요.

▶ ______________________________ (* 同窓会(どうそうかい) 동창회)

❷ 역시 다이어트에 맥주는 좋지 않아요.

▶ ______________________________

❸ 죄송합니다. 너무 취해서 실언했어요.

▶ ______________________________

Day 54

가까운 게 최고

오늘의 표현 주로 이용하는 교통수단과 그 소요 시간을 나타내는 표현을 학습해 봅시다.

표현 01 [　　　　] までどれくらいかかりますか。

~까지 어느 정도(얼마나) 걸려요?

표현 02 [　　　　] で通(かよ)っています。

~(으)로 다니고 있어요.

STEP 1 실생활에서 일본인은 이렇게 말해요!

다구치

今日(きょう)もギリギリセーフ！

쿄-모 기리기리세-후

오늘도 아슬아슬하게 세이프!

야마모토

8時(はちじ)59分(ごじゅうきゅうふん)！運(うん)がよかったですね。

하치지 고쥬-큐-훙 웅가 요캇타데스네

8시 59분! 운이 좋았네요.

다구치

山本(やまもと)さんは学校(がっこう)**までどれくらいかかりますか**。

야마모토상와 각코-마데 도레쿠라이 카카리마스까

야마모토 씨는 학교까지 어느 정도 걸려요?

야마모토

私(わたし)は30分(さんじゅっぷん)くらいです。

와타시와 산즙풍 쿠라이데스

저는 30분 정도예요.(걸려요.)

다구치

電車通学(でんしゃつうがく)ですか。

덴샤츠-가쿠데스까

전철 통학이에요?(전철로 통학해요?)

야마모토

私(わたし)はチャリ**で通(かよ)っています**よ。

와타시와 챠리데 카욧테 이마스요

저는 자전거로 다니고 있어요.

새 단어

- ギリギリ 아슬아슬, 빠듯함
- セーフ 세이프(safe)
- 運(うん) 운
- どれくらい(=どれぐらい) 어느 정도, 얼마나
- かかる (시간이) 걸리다
- 通学(つうがく) 통학
- チャリ 자전거
- 通(かよ)う 다니다

STEP 2 다양한 상황 속에서 말해 보세요!

표현 01

[　　　　] までどれくらいかかりますか。 ~까지 어느 정도(얼마나) 걸려요?
마데 도레쿠라이 카카리마스까

「どれくらい 도레쿠라이」 또는 「どれぐらい 도레구라이」는 '어느 정도, 얼마나'라는 뜻으로 위의 표현처럼 시간이 얼마나 소요되는지 물을 때 쓸 수 있습니다.

1. 学校(がっこう)から最寄駅(もよりえき)
   각코-카라 모요리에키
   학교에서 가까운 역
2. タクシーでバイト先(さき)
   탁시-데 바이토사키
   택시로 아르바이트하는 곳
3. 大学(だいがく)に到着(とうちゃく)する
   다이가쿠니 토-챠쿠스루
   대학교에 도착하기

새 단어
最寄駅(もよりえき) 가장 가까운 역
バイト先(さき) 아르바이트하는 곳
到着(とうちゃく) 도착

표현 02

[　　　　] で通(かよ)っています。 ~(으)로 다니고 있어요.
데 카욧테 이마스

「…で通(かよ)う 데 카요우」는 '~(으)로 다니다'라는 뜻으로 통학 또는 통근 시 어떤 교통수단을 이용해서 다니는지 나타낼 때 쓸 수 있는 표현입니다.

1. 徒歩(とほ)
   토호
   도보
2. いつも地下鉄(ちかてつ)
   이츠모 치카테츠
   항상 지하철
3. 晴(は)れてる日(ひ)はバス
   하레테루 히와 바스
   맑은 날은 버스

새 단어
いつも 항상, 언제나
地下鉄(ちかてつ) 지하철
晴(は)れる 맑다, 개다
日(ひ) 날

STEP 3 일본인과 대화하듯 말해 보세요!

Track 54-03

• 녹음을 들으며 빈칸에 들어갈 말을 쓰고 따라 말해 보세요!

상황1 학교에서 역까지 거리는?

A 学校(がっこう)から [　　　　　　　　]。

학교에서 가까운 역까지 어느 정도 걸려요?

B ３０分(さんじゅっぷん) [　　　　　　　　]。

30분 정도요.

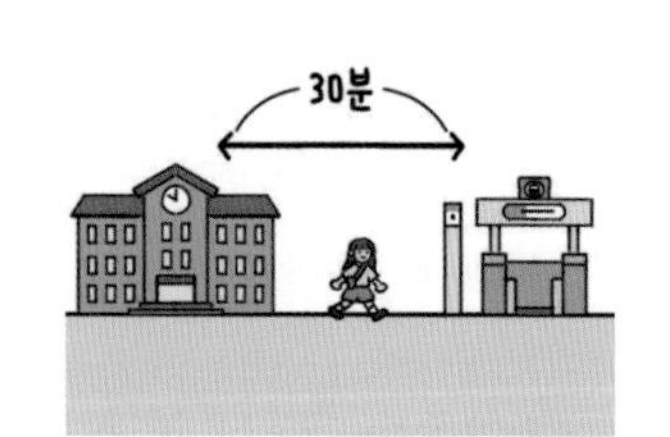

상황2 지하철이 제일 편하지!

A 電車(でんしゃ) [　　　　　　　　]。

전철 통학이에요? (전철로 통학해요?)

B いつも [　　　　　　　　]。

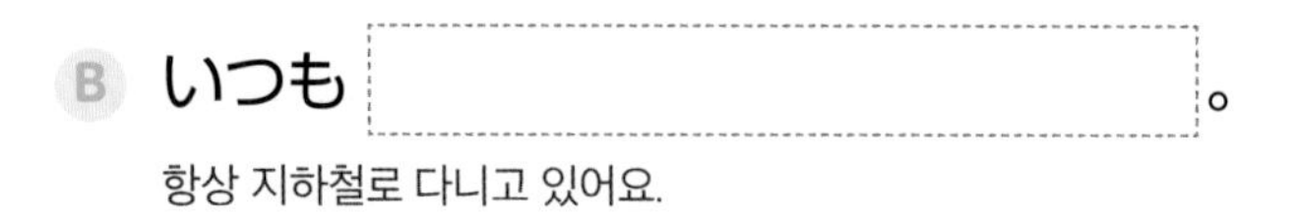

항상 지하철로 다니고 있어요.

상황3 이번 알바 최대의 장점은 가까운 거리!

A バイト先(さき)は [　　　　　　　　]。

아르바이트하는 곳은 멀어요?

B いいえ。 [　　　　　　　　]。

아니요. 걸어서 다니고 있어요.

STEP 4 문제를 풀어 보며 실력을 쌓아 보세요!

Track 54-04

1 녹음을 듣고, 아래 내용이 맞으면 O, 틀리면 X 표시해 보세요.

❶ 私(わたし)は３０分(さんじゅっぷん)くらいです。

❷ 私(わたし)はチャリで通(かよ)っていますよ。

2 다음 문장을 한국어로 해석해 보세요.

❶ 今日(きょう)もギリギリセーフ！

▶ ______________________________

❷ 今日(きょう)も運(うん)がよかったですね。

▶ ______________________________

❸ 山本(やまもと)さんは学校(がっこう)までどれくらいかかりますか。

▶ ______________________________

3 제시어를 참고하여 다음 문장을 일본어로 써 보세요.

❶ 택시로 학교까지 얼마나 걸려요?

▶ ______________________________

❷ 맑은 날은 버스로 다니고 있어요.

▶ ______________________________

❸ 급할 땐 택시로 다니고 있어요.

▶ ______________________________ (*急(いそ)ぐ時(とき) 급할 때)

Day 55

집중력을 발휘해서

오늘의 표현 무언가를 급하게 준비하거나 밤새워하는 행동을 나타내는 표현을 학습해 봅시다.

표현 01 一夜漬け(いちやづ)で [ ] ました。

벼락치기로 ~(했)어요.

표현 02 徹夜(てつや)で [ ] ました。

밤새워서 ~(했)어요.

STEP 1 실생활에서 일본인은 이렇게 말해요!

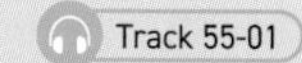
Track 55-01

다구치

ミニテストはどうだったんですか。

미니테스트와 도-닷탄데스까

쪽지 시험은 어땠어요?

야마모토

満点(まんてん)取(と)りました！

만텐 토리마시타

만점 받았어요!

다구치

さすが山本(やまもと)さんですね。

사스가 야마모토상데스네

역시 야마모토 씨네요.

야마모토

実(じつ)は**一夜漬け(いちやづ)で**覚(おぼ)え**ました**。

지츠와 이치야즈케데 오보에마시타

사실은 벼락치기로 외웠어요.

다구치

テストの範囲(はんい)、広(ひろ)くなかったんですか。

테스토노 항이 히로쿠나캇탄데스까

시험 범위 넓지 않았어요?

야마모토

はい、**徹夜(てつや)で**勉強(べんきょう)し**ました**。

하이 테츠야데 벵쿄-시마시타

네, 밤새워서 공부했어요.

Tip

「さすが 사스가」는 '역시, 과연'이라는 뜻으로 '예상대로 역시 대단하다, 우수하다'라고 감탄하는 리액션이에요. 상대방을 칭찬할 때 자주 사용해요.

새 단어

ミニテスト 쪽지 시험
満点(まんてん) 만점
取(と)る (점수를) 받다
さすが 역시, 과연
実(じつ)は 사실은
一夜漬(いちやづ)け 벼락치기
覚(おぼ)える 외우다
範囲(はんい) 범위

STEP 2 다양한 상황 속에서 말해 보세요!

표현 01

一夜漬け(いちやづけ)で [　　　] ました。 벼락치기로 ~(했)어요.
이치야즈케데 　　　　마시타

「一夜漬け(いちやづけ) 이치야즈케」는 '벼락치기, 당일치기'라는 의미로 하룻밤 사이에 급하게 공부하거나 무언가를 준비하는 상황을 나타낼 때 쓰는 표현입니다.

1. マニュアルを暗記(あんき)し
   마뉴아루오 앙키시
   매뉴얼을 암기했

2. 課題(かだい)をやり
   카다이오 야리
   과제를 했

3. レポートを書(か)き
   레포-토오 카키
   리포트를 썼

새 단어

マニュアル 매뉴얼
暗記(あんき) 암기
課題(かだい) 과제
やる 하다

표현 02

徹夜(てつや)で [　　　] ました。 밤새워서 ~(했)어요.
테츠야데 　　　　마시타

「徹夜(てつや) 테츠야」는 '밤샘, 철야'라는 뜻으로 밤새도록 자지 않고 어떤 일을 하는 상황을 나타낼 때 쓰는 표현입니다.

1. オンライン授業(じゅぎょう)を受(う)け
   온라인 쥬교-오 우케
   온라인 수업을 들었

2. 卒論(そつろん)を完成(かんせい)し
   소츠롱오 칸세-시
   졸업 논문을 완성했

3. エントリーシートを書(か)き
   엔토리-시-토오 카키
   입사 지원서를 썼

새 단어

オンライン 온라인
卒論(そつろん) 졸업 논문
完成(かんせい) 완성
エントリーシート 입사 지원서

STEP 3 일본인과 대화하듯 말해 보세요!

- 녹음을 들으며 빈칸에 들어갈 말을 쓰고 따라 말해 보세요!

상황1 벼락치기가 제일 쉬웠어요.

A 一夜漬け(いちやづ)けで [　　　　　　]。
벼락치기로 매뉴얼을 암기했어요.

B [　　　　　　] ですね！
역시 대단하네요!

상황2 드디어 졸업 논문까지 끝!

A 卒論(そつろん)は [　　　　　　]。
졸업 논문은 끝났어요?

B 徹夜(てつや)で [　　　　　　]。
밤새워서 졸업 논문을 완성했어요.

상황3 시험을 앞두고 밤새도록 강의 복습….

A テストの準備(じゅんび)は [　　　　　　]。
시험 준비는 순조롭나요?

B 徹夜(てつや)で [　　　　　　]。
밤새도록 온라인 수업을 들었어요.

STEP 4 문제를 풀어 보며 실력을 쌓아 보세요!

Track 55-04

1 녹음을 듣고, 아래 내용이 맞으면 O, 틀리면 X 표시해 보세요.

❶ 実(じつ)は一夜漬(いちやづ)けで覚(おぼ)えました。

❷ 徹夜(てつや)で勉強(べんきょう)しました。

2 다음 문장을 한국어로 해석해 보세요.

❶ 昨日(きのう)のミニテストはどうだったんですか。

▶ ______________________________

❷ 満点(まんてん)取(と)りました！

▶ ______________________________

❸ テストの範囲(はんい)、広(ひろ)くなかったんですか。

▶ ______________________________

3 제시어를 참고하여 다음 문장을 일본어로 써 보세요.

❶ 역시 선배시네요!

▶ ______________________________ (* 先輩(せんぱい) 선배)

❷ 밤새워서 입사 지원서를 썼어요.

▶ ______________________________

❸ 벼락치기로 과제를 했어요.

▶ ______________________________

Day 56 몰랐던 사실

오늘의 표현 들은 정보를 전달하는 표현과 겉모습을 통해 판단하여 말하는 표현을 학습해 봅시다.

표현 01 [ ] って。

~대/래요.

표현 02 [ ] には見(み)えませんね。

~(으)로는 안 보이네요.

STEP 1 실생활에서 일본인은 이렇게 말해요!

Track 56-01

다구치

文学部(ぶんがくぶ)のリョウくんとルイくん、双子(ふたご)ですって。

붕가쿠부노 료-쿤토 루이쿤 후타고데슷테

문학부의 료 군이랑 루이 군, 쌍둥이래요.

야마모토

本当(ほんとう)ですか。

혼토-데스까

진짜예요?

다구치

はい、全然(ぜんぜん)似(に)てないでしょ。

하이 젠젠 니테나이데쇼

네, 전혀 안 닮았죠?

야마모토

兄弟(きょうだい)には見(み)えませんね。

쿄-다이니와 미에마센네

형제로는 안 보이네요.

다구치

ルイくんが兄(あに)ですって。

루이쿵가 아니데슷테

루이 군이 형이래요.

야마모토

びっくりですね。

빅쿠리데스네

놀랍네요.

Tip

「…って ㅅ테」는 누군가에게 들은 정보를 전달하는 표현인 「…そうだ 소-다」의 회화체 표현입니다.

새 단어

文学部(ぶんがくぶ) 문학부

双子(ふたご) 쌍둥이

びっくり 깜짝 놀람

STEP 2 다양한 상황 속에서 말해 보세요!

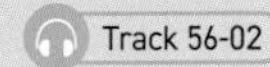
Track 56-02

표현 01

[ ]って。 ~대/래요.
ㅅ테

제3자에게서 들은 정보를 전달할 때는 완전한 문장「です 데스 / ます 마스」 뒤에「って ㅅ테」를 붙이면 됩니다.

❶ キムさんと江口(えぐち)さん、仲悪(なかわる)いです
키무산토 에구치상 나카와루이데스
김 씨랑 에구치 씨, 사이 나쁘

❷ 社長(しゃちょう)は意外(いがい)と親切(しんせつ)です
샤쵸-와 이가이토 신세츠데스
사장님은 의외로 친절하

❸ 今(いま)、デパートでセールやってます
이마 데파-토데 세-루 얏테마스
지금 백화점에서 세일하고 있

새 단어
仲(なか) 사이
社長(しゃちょう) 사장(님)
意外(いがい)と 의외로
セール 세일

표현 02

[ ]には見(み)えませんね。 ~(으)로는 안 보이네요.
니와 미에마센네

「…に見(み)える 니 미에루」는 '~(으)로 보이다'라는 뜻으로 겉으로 봤을 때 어떻게 보이거나 어떻게 생각되는지를 나타내는 표현입니다.

❶ インドア派(は)
인도아하
집돌이/집순이(실내파)

❷ アラサー
아라사-
30살 전후

❸ 大学生(だいがくせい)
다이각세-
대학생

새 단어
インドア 실내(indoor)

STEP 3 일본인과 대화하듯 말해 보세요!

Track 56-03

- 녹음을 들으며 빈칸에 들어갈 말을 쓰고 따라 말해 보세요!

상황1 내일 당장 백화점 오픈런!

A 今(いま)、 ______。

지금 백화점에서 세일하고 있대요.

B ______。

진짜예요?

상황2 장난꾸러기 야마구치 씨

A 山口(やまぐち)さんって ______。

야마구치 씨는 장난을 잘 치네요.

B はい、 ______。

네, 대학생으로는 안 보이네요.

상황3 알고 보니 사장님은 츤데레셨어!

A 社長(しゃちょう)は ______。

사장님은 의외로 친절하대요.

B うそ！ ______。

거짓말! 놀랍네요.

STEP 4 문제를 풀어 보며 실력을 쌓아 보세요!

Track 56-04

1 녹음을 듣고, 아래 내용이 맞으면 O, 틀리면 X 표시해 보세요.

❶ キムさんと江口(えぐち)さん、双子(ふたご)ですって。

❷ ルイくんが兄(あに)ですって。

2 다음 문장을 한국어로 해석해 보세요.

❶ 双子(ふたご)には見(み)えませんね。

▶ ______________________________

❷ 文学部(ぶんがくぶ)のリョウくんとルイくん、全然(ぜんぜん)似(に)てないでしょ。

▶ ______________________________

❸ キムさんと江口(えぐち)さん、仲悪(なかわる)いですって。

▶ ______________________________

3 제시어를 참고하여 다음 문장을 일본어로 써 보세요.

❶ 집돌이(집순이)로는 안 보이네요.

▶ ______________________________

❷ 거짓말! 30살 전후로는 안 보이네요.

▶ ______________________________

❸ 야마구치 씨는 의외로 소심하대요.

▶ ______________________________ (* 小心者(しょうしんもの) 소심한 사람)

Day 57 곤란할 때 대처법

오늘의 표현 싫어하거나 서툰 행동을 나타내는 표현과 간접적으로 거절할 수 있는 표현을 학습해 봅시다.

표현 01 ______ は苦手(にがて)です。

~은/는 안 좋아해요/불편해요/잘 못해요.

표현 02 ______ はちょっと…。

~은/는 좀….

STEP 1 실생활에서 일본인은 이렇게 말해요!

메이

猫(ねこ)カフェに行(い)きませんか。

네코카훼니 이키마셍까

고양이 카페에 안 갈래요?

사토

あ、私(わたし)猫(ねこ)は苦手(にがて)です。

아 와타시 네코와 니가테데스

아, 저 고양이는 안 좋아해요.

메이

え、知(し)らなかったです！

에 시라나캇타데스

엇, 몰랐어요!

사토

じゃあ、カラオケはどうですか。

쟈- 카라오케와 도-데스까

그럼, 노래방은 어때요?

메이

うん… カラオケはちょっと…。

웅 카라오케와 춋토

음… 노래방은 좀….

사토

じゃ、散歩(さんぽ)しましょう！

쟈 삼포시마쇼-

그럼, 산책해요!

새 단어

猫(ねこ) 고양이

苦手(にがて)だ 안 좋아하다, 불편하다, 잘 못하다

カラオケ 노래방

STEP 2 다양한 상황 속에서 말해 보세요!

표현 01

[ ] は苦手(にがて)です。 ~은/는 안 좋아해요/불편해요/잘 못해요.
와 니가테데스

「苦手(にがて)だ 니가테다」는 어떤 것을 꺼리거나 질색한다는 뜻으로 '안 좋아하다, 불편하다'라는 의미도 있고, 어떤 것이 서툴러서 '잘 못한다'라는 의미도 가지고 있습니다.

❶ パクチー
파쿠치-
고수(는 안 좋아해요.)

❷ おしゃべりさん
오샤베리상
수다쟁이(는 불편해요.)

❸ お世辞(せじ)
오세지
입에 발린 말(은 잘 못해요.)

표현 02

[ ] はちょっと…。 ~은/는 좀….
와 촛토

「ちょっと 촛토」는 '좀, 조금, 약간'이라는 뜻으로 이렇게 말 끝을 흐리면 간접적으로 거절을 표현할 수 있습니다.

❶ 真冬(まふゆ)にキャンプ
마후유니 캼푸
한겨울에 캠프

❷ ホラー映画(えいが)
호라- 에-가
공포 영화

❸ すっぴんでプリクラ
습핀데 푸리쿠라
민낯으로 스티커 사진

새 단어

真冬(まふゆ) 한겨울
キャンプ 캠프
すっぴん 민낯, 맨얼굴
プリクラ 스티커 사진

STEP 3 일본인과 대화하듯 말해 보세요!

Track 57-03

● 녹음을 들으며 빈칸에 들어갈 말을 쓰고 따라 말해 보세요!

상황1 진입장벽이 너무 높은 고수

A タイ料理(りょうり)を ＿＿＿＿＿＿＿＿。

태국 요리를 먹으러 가지 않을래요?

B パクチー ＿＿＿＿＿＿＿＿。

고수는 안 좋아해요.

상황2 추운 건 딱 질색인데…!

A 週末(しゅうまつ)に ＿＿＿＿＿＿＿＿。

주말에 캠프 안 할래요?

B 真冬(まふゆ)に ＿＿＿＿＿＿＿＿。

한겨울에 캠프는 좀…

상황3 다음에 풀메이크업 하고 올게….

A じゃあ、＿＿＿＿＿＿＿＿。

그럼, 스티커 사진은 어때요?

B すっぴんで ＿＿＿＿＿＿＿＿。

민낯으로 스티커 사진은 좀….

STEP 4 문제를 풀어 보며 실력을 쌓아 보세요!

Track 57-04

1 녹음을 듣고, 아래 내용이 맞으면 O, 틀리면 X 표시해 보세요.

❶ 私(わたし)猫(ねこ)は苦手(にがて)です。

❷ カラオケはちょっと…。

2 다음 문장을 한국어로 해석해 보세요.

❶ え、知(し)らなかったです！

▶ ______________________________

❷ おしゃべりさんは苦手(にがて)です。

▶ ______________________________

❸ お世辞(せじ)は苦手(にがて)です。

▶ ______________________________

3 제시어를 참고하여 다음 문장을 일본어로 써 보세요.

❶ 그럼, 노래방은 어때요?

▶ ______________________________

❷ 내일, 고양이 카페에 안 갈래요?

▶ ______________________________

❸ 멜로 영화는 좀….

▶ ______________________________ (* 恋愛映画(れんあいえいが) 멜로 영화)

Day 58

이루어져라, 얍!

오늘의 표현 예감, 추측 및 기대, 희망과 관련된 표현을 학습해 봅시다.

표현 01 [   ] ような気(き)がします。

~듯한 기분이 들어요.

표현 02 [   ] が楽(たの)しみです。

~이/가 기대돼요.

STEP 1 실생활에서 일본인은 이렇게 말해요!

Track 58-01

다구치

山本(やまもと)さん！明日(あした)、合格発表(ごうかくはっぴょう)ですね。

야마모토상 아시타 고-카쿠 합표-데스네

야마모토 씨! 내일 합격 발표네요.

야마모토

はい、もう受(う)かった**ような気(き)がします**。

하이 모- 우캇타 요-나 키가 시마스

네, 이미 합격한 듯한 기분이 들어요.

다구치

自信満々(じしんまんまん)ですね。

지심맘만데스네

자신만만하네요.

야마모토

一生懸命(いっしょうけんめい)勉強(べんきょう)しましたから。

잇쇼-켐메- 벵쿄- 시마시타카라

열심히 공부했으니까요.

다구치

早(はや)く結果(けっか)が知(し)りたいです！

하야쿠 켁카가 시리타이데스

빨리 결과를 알고 싶어요!

야마모토

はい、明日(あした)**が楽(たの)しみです**。

하이 아시타가 타노시미데스

네, 내일이 기대돼요.

새 단어

気(き)がする 기분(느낌)이 들다
自信満々(じしんまんまん)だ 자신만만하다
一生懸命(いっしょうけんめい) 열심히
結果(けっか) 결과

STEP 2 다양한 상황 속에서 말해 보세요!

표현 01

______ ような気(き)がします。 ~듯한 기분이 들어요.

요-나 키가 시마스

「気(き)がする 키가 스루」는 '기분/느낌/생각이 들다'라는 의미로 위의 표현처럼 어떤 기분이 든다고 예감하거나 추측할 때 쓸 수 있습니다.

1. 次(つぎ)こそ昇進(しょうしん)する
   츠기코소 쇼-신스루
   다음에야말로 승진할

2. 今年(ことし)は給料(きゅうりょう)が上(あ)がる
   코토시와 큐-료-가 아가루
   올해는 월급이 오를

3. 宝(たから)くじに当(あ)たる
   타카라쿠지니 아타루
   복권에 당첨될

새 단어

次(つぎ) 다음
…こそ ~야말로
昇進(しょうしん) 승진
給料(きゅうりょう) 월급
当(あ)たる 당첨되다

표현 02

______ が楽(たの)しみです。 ~이/가 기대돼요.

가 타노시미데스

「楽(たの)しみ 타노시미」는 '기대'라는 뜻으로 어떤 일에 대한 기대와 희망을 나타낼 때 쓸 수 있습니다.

1. 恋人(こいびと)ができてから毎日(まいにち)
   코이비토가 데키테카라 마이니치
   애인이 생기고 나서부터 매일

2. 結婚式(けっこんしき)よりハネムーン
   켁콘시키요리 하네무-ㄴ
   결혼식보다 신혼여행

3. 給料日(きゅうりょうび)
   큐-료-비
   월급날

새 단어

できる 생기다
…てから ~하고 나서부터
ハネムーン 신혼여행

STEP 3 일본인과 대화하듯 말해 보세요!

Track 58-03

- 녹음을 들으며 빈칸에 들어갈 말을 쓰고 따라 말해 보세요!

상황1 월급 인상, 나만의 착각이 아니길….

A 今年(ことし)は ＿＿＿＿＿＿＿＿。
올해는 월급이 오를 듯한 느낌이 들어요.

B おっ、＿＿＿＿＿＿＿＿！
오, 축하해요!

상황2 이렇게 행복해도 되나요?

A 恋人(こいびと)ができてから ＿＿＿＿＿＿＿＿。
애인이 생기고 나서부터 매일이 기대돼요.

B ＿＿＿＿＿＿＿＿！
부러워요!

상황3 손꼽아 기다려온 신혼여행!

A 明日(あした)、＿＿＿＿＿＿＿＿。
내일 결혼식이네요.

B 結婚式(けっこんしき)より ＿＿＿＿＿＿＿＿。
결혼식보다 신혼여행이 기대돼요.

STEP 4 문제를 풀어 보며 실력을 쌓아 보세요!

Track 58-04

1 녹음을 듣고, 아래 내용이 맞으면 O, 틀리면 X 표시해 보세요.

❶ もう受(う)かったような気(き)がします。

❷ 明日(あした)が楽(たの)しみです。

2 다음 문장을 한국어로 해석해 보세요.

❶ 山本(やまもと)さん！明日(あした)、合格発表(ごうかくはっぴょう)ですね。

▶ ______________________________

❷ 次(つぎ)こそ昇進(しょうしん)するような気(き)がします。

▶ ______________________________

❸ 早(はや)く結果(けっか)が知(し)りたいです！

▶ ______________________________

3 제시어를 참고하여 다음 문장을 일본어로 써 보세요.

❶ 자신만만하네요.

▶ ______________________________

❷ 복권에 당첨될 것 같은 기분이 들어요.

▶ ______________________________

❸ 올해 여름 휴가가 기대돼요.

▶ ______________________________ (*夏休(なつやす)み 여름 휴가)

Day 59

그것이 문제로다

오늘의 표현 고민을 토로하는 표현과 상대방을 격려하는 표현을 학습해 봅시다.

표현 01 [　　　] で悩(なや)んでいます。

~(으)로 고민 중이에요.

표현 02 自信(じしん)もって [　　　] ください。

자신감 가지고(자신 있게) ~주세요.

STEP 1 실생활에서 일본인은 이렇게 말해요!

Track 59-01

다구치

山本(やまもと)さん、聞(き)いてください。

야마모토상 키-테 쿠다사이

야마모토 씨, 들어주세요.

야마모토

どうぞどうぞ。

도-조 도-조

네, 얘기하세요.

다구치

就活(しゅうかつ)かワーホリか**で悩(なや)んでいます**。

슈-카츠카 와-호리카데 나얀데 이마스

취준(취업 준비)이냐 워홀(워킹홀리데이)이냐로 고민 중이에요.

야마모토

就活(しゅうかつ)に決(き)めたんじゃないですか。

슈-카츠니 키메탄쟈나이데스까

취준으로 정한 거 아니에요?

다구치

実(じつ)はワーホリに行(い)きたいです。

지츠와 와-호리니 이키타이데스

사실은 워홀 가고 싶어요.

야마모토

では**自信(じしん)もって**チャレンジして**ください**！

데와 지심못테 챠렌지시테 쿠다사이

그럼 자신감 가지고(자신 있게) 도전해 주세요!

새 단어

- どうぞ (허가/승낙) 좋아요, 그렇게 하세요
- …か ~이냐, ~인지
- ワーホリ 워킹홀리데이
- 悩(なや)む 고민하다
- では 그럼
- 自信(じしん) 자신(감)
- もつ 가지다
- チャレンジ 도전, 챌린지

STEP 2 다양한 상황 속에서 말해 보세요!

표현 01

[　　　　] で悩(なや)んでいます。 ~(으)로 고민 중이에요.
데 나얀데 이마스

「…で悩(なや)む 데 나야무」는 '~(으)로 고민하다'라는 의미로 무언가로 고민에 빠져 있다고 말할 때 쓰는 표현입니다. 'A이냐 B이냐'라는 뜻의 「AかBか A카 B카」를 앞에 써서 고민되는 것을 나타낼 수 있습니다.

❶ 夜食(やしょく)でチキンかピザか
야쇼쿠데 치킹카 피자카
야식으로 치킨이냐 피자냐

❷ 進学(しんがく)か就職(しゅうしょく)か
싱가쿠카 슈-쇼쿠카
진학이냐 취직이냐

❸ 職場(しょくば)の人間関係(にんげんかんけい)
쇼쿠바노 닝겡캉케-
직장의 인간관계

> **새 단어**
> 進学(しんがく) 진학
> 職場(しょくば) 직장
> 人間関係(にんげんかんけい) 인간관계

표현 02

自信(じしん)もって [　　　　] ください。 자신감 가지고(자신 있게) ~주세요.
지심못테 쿠다사이

동사 て형에 「ください 쿠다사이」를 붙이면 '~해 주세요'라는 뜻이 됩니다. 위의 표현처럼 자신감을 가지고 어떤 행동을 하라고 지시, 부탁할 때 쓸 수 있습니다.

❶ 頑張(がんば)って
감밧테
열심히 해

❷ 発表(はっぴょう)して
합표-시테
발표해

❸ 告白(こくはく)して
코쿠하쿠시테
고백해

> **새 단어**
> 告白(こくはく) 고백

STEP 3 일본인과 대화하듯 말해 보세요!

● 녹음을 들으며 빈칸에 들어갈 말을 쓰고 따라 말해 보세요!

상황1 야식은 언제나 고민되지…!

A 夜食(やしょく)で ______。
야식으로 치킨이냐 피자냐로 고민 중이에요.

B チキン ______。
치킨을 추천해요.

상황2 무대 공포증을 극복할 수 있을까?

A やっぱり ______。
역시 발표는 잘 못해요.

B 自信(じしん)もって ______。
자신 있게 발표해 주세요.

상황3 앞길이 막막해요….

A 就活(しゅうかつ)かワーホリか ______。
취준이냐 워홀이냐로 고민 중이에요.

B 自信(じしん)もって ______。
자신감 가지고(자신 있게) 도전해 주세요!

STEP 4 문제를 풀어 보며 실력을 쌓아 보세요!

Track 59-04

1 녹음을 듣고, 아래 내용이 맞으면 O, 틀리면 X 표시해 보세요.

❶ 進学(しんがく)か就職(しゅうしょく)かで悩(なや)んでいます。

❷ 実(じつ)はワーホリに行(い)きたいです。

2 다음 문장을 한국어로 해석해 보세요.

❶ 山本(やまもと)さん、聞(き)いてください。

▶ ______________________________

❷ 就活(しゅうかつ)に決(き)めたんじゃないですか。

▶ ______________________________

❸ 自信(じしん)もって頑張(がんば)ってください。

▶ ______________________________

3 제시어를 참고하여 다음 문장을 일본어로 써 보세요.

❶ 요즘, 직장의 인간관계로 고민 중이에요.

▶ ______________________________

❷ 오늘 저녁으로 샐러드냐 스키야키냐로 고민 중이에요.

▶ ______________________________ (* すきやき 스키야키(전골 요리))

❸ 자신감 가지고 고백해 주세요.

▶ ______________________________

Day 60 유구무언

 오늘의 표현 어쩔 수 없는 상황을 나타내는 표현과 주의를 주는 표현을 학습해 봅시다.

표현 01 [　　] 仕方(しかた)なく [　　] ました。

~, 어쩔 수 없이 ~(했)어요.

표현 02 [　　] には気(き)をつけてください。

~에는 신경 써 주세요.

STEP 1 실생활에서 일본인은 이렇게 말해요!

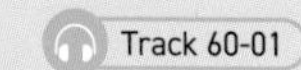

메이

吉野(よしの)さん、どこですか。
요시노상 도코데스까
요시노 씨, 어디예요?

요시노

新橋(しんばし)です、すぐ着(つ)きます！
심바시데스 스구 츠키마스
신바시예요, 곧 도착해요!

메이

みんな待(ま)ってますよ。
민나 맛테마스요
다들 기다리고 있어요.

요시노

道(みち)が混(こ)んでいて、仕方(しかた)なく電車(でんしゃ)に乗(の)り換(か)えました。
미치가 콘데이테 시카타나쿠 덴샤니 노리카에마시타
길이 막혀서 어쩔 수 없이 전철로 갈아탔어요.

메이

遅刻(ちこく)には気(き)をつけてください。
치코쿠니와 키오 츠케테 쿠다사이
지각에는 주의해 주세요.

요시노

これから気(き)をつけます。
코레카라 키오 츠케마스
앞으로 신경 쓸게요.

새 단어

すぐ 곧
みんな 다들, 모두
待(ま)つ 기다리다
仕方(しかた)なく 어쩔 수 없이
乗(の)り換(か)える 갈아타다
これから 앞으로

STEP 2 다양한 상황 속에서 말해 보세요!

표현 01

[　　　] 仕方(しかた)なく [　　　] ました。 ~, 어쩔 수 없이 ~(했)어요.

시카타나쿠 마시타

「仕方(しかた)なく 시카타나쿠」는 '어쩔 수 없이, 할 수 없이, 부득이하게'라는 뜻으로 다른 방법이 없어서 어쩔 수 없는 상황임을 나타내는 표현입니다.

❶ 嘘(うそ)つきたくなくて / 言(い)い
우소츠키타쿠나쿠테 이-
거짓말 하고 싶지 않아서 / 말했

❷ 財布(さいふ)がなくて、/ お金(かね)を借(か)り
사이후가 나쿠테 오카네오 카리
지갑이 없어서 / 돈을 빌렸

❸ 人手不足(ひとでぶそく)で、/ 休日出勤(きゅうじつしゅっきん)し
히토데부소쿠데 큐-지츠 슉킨시
일손이 부족해서 / 휴일 출근했

새 단어
嘘(うそ)つく 거짓말하다
お金(かね) 돈
借(か)りる 빌리다
人手不足(ひとでぶそく) 일손 부족
出勤(しゅっきん) 출근

표현 02

[　　　] には気(き)をつけてください。 ~에는 신경 써 주세요.

니와 키오 츠케테 쿠다사이

「…に気(き)をつける 니 키오 츠케루」는 '~에 신경 쓰다, 주의하다, 조심하다'라는 뜻으로 어떤 상황이나 행동에 조심하고 경계하라는 의미로 주의를 줄 때 쓰는 표현입니다.

❶ 言(い)い方(かた)
이-카타
말투

❷ 勤怠(きんたい)
킨타이
근태

❸ 風邪(かぜ)
카제
감기

STEP 3 일본인과 대화하듯 말해 보세요!

Track 60-03

- 녹음을 들으며 빈칸에 들어갈 말을 쓰고 따라 말해 보세요!

상황1 거짓말은 도저히 못 하겠어서….

A なんで ＿＿＿＿＿＿。
왜 말한 거예요?

B 嘘(うそ)つきたくなくて、＿＿＿＿＿＿。
거짓말하고 싶지 않아서 어쩔 수 없이 말했어요.

상황2 근태는 기본 중에 기본!

A 勤怠(きんたい) ＿＿＿＿＿＿。
근태에는 신경 써 주세요.

B これから ＿＿＿＿＿＿。
앞으로 신경 쓸게요.

상황3 변명은 필요 없어요!

A 道(みち)が混(こ)んでいて、＿＿＿＿＿＿。
길이 막혀서 어쩔 수 없이 전철로 갈아탔어요.

B 遅刻(ちこく) ＿＿＿＿＿＿。
지각에는 주의해 주세요.

STEP 4 문제를 풀어 보며 실력을 쌓아 보세요!

Track 60-04

1 녹음을 듣고, 아래 내용이 맞으면 O, 틀리면 X 표시해 보세요.

❶ 遅刻(ちこく)には気(き)をつけてください。

❷ 道(みち)が混(こ)んでいて、仕方(しかた)なく電車(でんしゃ)に乗(の)り換(か)えました。

2 다음 문장을 한국어로 해석해 보세요.

❶ これから気(き)をつけます。

▶ ____________________

❷ 財布(さいふ)がなくて、仕方(しかた)なくお金(かね)を借(か)りました。

▶ ____________________

❸ 人手不足(ひとでぶそく)で、仕方(しかた)なく休日出勤(きゅうじつしゅっきん)しました。

▶ ____________________

3 제시어를 참고하여 다음 문장을 일본어로 써 보세요.

❶ 다들 기다리고 있어요.

▶ ____________________

❷ 말투에는 신경 써 주세요.

▶ ____________________

❸ 태도에는 신경 써 주세요.

▶ ____________________ (* 態度(たいど) 태도)

Day 61

부러우면 지는 것

 **오늘의 표현** 변함없음을 나타내는 표현과 잘하는 것을 칭찬하는 표현을 학습해 봅시다.

표현 01 相変(あいか)わらず [　　　　] ですね。

여전히 ~이/하네요.

표현 02 しかも [　　　　] も得意(とくい)です。

게다가 ~도 잘해요.

STEP 1 실생활에서 일본인은 이렇게 말해요!

 Track 61-01

 메이

山田(やまだ)さんは相変(あいか)わらずモテモテですね。

야마다상와 아이카와라즈 모테모테데스네

야마다 씨는 여전히 인기가 많네요.

 요시노

そりゃ賢(かしこ)いし、イケメンですから。

소랴 카시코이시 이케멘데스카라

그야 똑똑하고 미남이니까요.

 메이

本当(ほんとう)にうらやましいです。

혼토-니 우라야마시-데스

정말 부러워요.

 요시노

しかも運動(うんどう)も得意(とくい)です。

시카모 운도-모 토쿠이데스

게다가 운동도 잘해요.

 메이

運動(うんどう)までですか。

운도-마데데스까

운동까지요?

 요시노

完璧(かんぺき)な人(ひと)ですよ、本当(ほんとう)。

캄페키나 히토데스요 혼토-

완벽한 사람이에요, 정말.

새 단어

- 相変(あいか)わらず 여전히, 변함없이
- モテモテだ 매우 인기 있다
- そりゃ 그야, 그건
- 賢(かしこ)い 똑똑하다
- …し ~하고
- イケメン 미남
- しかも 게다가
- 得意(とくい)だ 잘하다
- 完璧(かんぺき)だ 완벽하다

STEP 2 다양한 상황 속에서 말해 보세요!

표현 01

相変(あいか)わらず [　　　] ですね。 여전히 ~이/하네요.
아이카와라즈 데스네

「相変(あいか)わらず 아이카와라즈」는 '여전히, 변함없이'라는 의미로 이전과 변함없음을 나타내는 표현입니다.

❶ 美人(びじん)
비진
미인

❷ センスがいい
센스가 이-
센스가 좋

❸ 話(はな)し方(かた)が丁寧(ていねい)
하나시카타가 테-네-
말투가 공손

새 단어

センス 센스
話(はな)し方(かた) 말투, 이야기하는 방식이나 태도
丁寧(ていねい)だ 공손하다, 정중하다

표현 02

しかも [　　　] も得意(とくい)です。 게다가 ~도 잘해요.
시카모 모 토쿠이데스

「得意(とくい)だ 토쿠이다」는 '잘하다, 능숙하다'라는 뜻으로 다른 사람을 칭찬하거나 자신이 잘하는 것을 말하는 경우에 쓰는 표현입니다.

❶ 歌(うた)
우타
노래

❷ 料理(りょうり)
료-리
요리

❸ 外国語(がいこくご)
가이코쿠고
외국어

STEP 3 일본인과 대화하듯 말해 보세요!

● 녹음을 들으며 빈칸에 들어갈 말을 쓰고 따라 말해 보세요!

상황1 센스쟁이 야마구치 씨

A 山口(やまぐち)さんは ______。

야마구치 씨는 여전히 센스가 좋네요.

B 本当(ほんとう)に ______。

정말 부러워요.

상황2 다나카 씨는 다 가졌네요!

A 田中(たなか)さんは ______。

다나카 씨는 똑똑하고 미남이네요.

B しかも ______。

게다가 노래도 잘해요.

상황3 인간미 없는 AI 스즈키 씨

A 鈴木(すずき)さんは ______。

스즈키 씨는 여전히 미인이네요.

B しかも ______。

게다가 외국어도 잘해요.

STEP 4 문제를 풀어 보며 실력을 쌓아 보세요!

1 녹음을 듣고, 아래 내용이 맞으면 O, 틀리면 X 표시해 보세요.

❶ 山田(やまだ)さんは相変(あいか)わらずモテモテですね。 

❷ 山田(やまだ)さんは運動(うんどう)も得意(とくい)です。 

2 다음 문장을 한국어로 해석해 보세요.

❶ 田中(たなか)さんは相変(あいか)わらずモテモテですね。

▶ ______________________________

❷ 本当(ほんとう)にうらやましいです。

▶ ______________________________

❸ 鈴木(すずき)さんは完璧(かんぺき)な人(ひと)ですよ、本当(ほんとう)。

▶ ______________________________

3 제시어를 참고하여 다음 문장을 일본어로 써 보세요.

❶ 그야 똑똑하고 미남이니까요.

▶ ______________________________

❷ 게다가 요리도 잘해요.

▶ ______________________________

❸ 여전히 동안이네요.

▶ ______________________________ (* 童顔(どうがん) 동안)

Day 62 날씨 체크는 필수

오늘의 표현 딱 들어맞는 것을 나타내는 표현과 챙긴 물건을 말하는 표현을 학습해 봅시다.

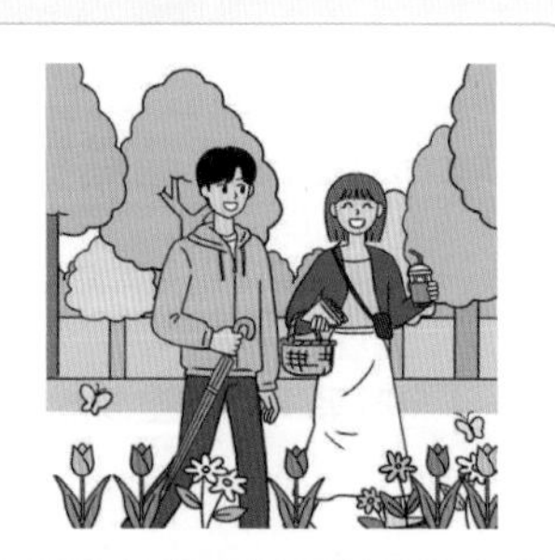

표현 01 [ ] にぴったりですね。

~에 딱이네요(~하기 딱 좋네요).

표현 02 [ ] を持(も)ってきました。

~을/를 챙겨왔어요.

STEP 1 실생활에서 일본인은 이렇게 말해요!

Track 62-01

메이

今日(きょう)は天気(てんき)がいいですね。

쿄-와 텡키가 이-데스네

오늘은 날씨가 좋네요.

요시노

昨日(きのう)はPM2.5(ピーエム にてんご)がひどかったのに。

키노-와 피-에무 니텡고가 히도캇타노니

어제는 초미세먼지가 심했는데.

메이

ピクニックにぴったりですね。

피쿠닉쿠니 핏타리데스네

피크닉에 딱이네요(피크닉하기 딱 좋네요).

요시노

でも、午後(ごご)からは雨(あめ)だそうですよ。

데모 고고카라와 아메다 소-데스요

하지만 오후부터는 비래요.

메이

え、そうですか。

에 소-데스까

엇, 그래요?

요시노

だから傘(かさ)を持(も)ってきました。

다카라 카사오 못테 키마시타

그래서 우산을 챙겨왔어요.

새 단어

PM2.5(ピーエム にてんご) 초미세먼지

ピクニック 피크닉

ぴったりだ
딱 어울리다, 꼭 맞다

だから 그래서, 그러니까

持(も)ってくる
챙겨오다, 가져오다

STEP 2 다양한 상황 속에서 말해 보세요!

표현 01

[　　　　] にぴったりですね。 ~에 딱이네요(~하기 딱 좋네요).
니 핏타리데스네

「…にぴったりだ 니 핏타리다」는 '~에 딱 어울리다, ~에 딱 좋다, ~에 딱 맞다'라는 의미로 잘 어울리거나 빈틈없이 정확히 들어맞는 상황을 나타낼 때 쓰는 표현입니다.

❶ 今日(きょう)はキャンプ
코-와 캼푸
오늘은 캠프

❷ 本当(ほんとう)にお散歩(さんぽ)
혼토-니 오삼포
정말 산책

❸ ここはお花見(はなみ)
코코와 오하나미
여기는 꽃구경

> **새 단어**
> お花見(はなみ) 꽃구경, 꽃놀이

표현 02

[　　　　] を持(も)ってきました。 ~을/를 챙겨왔어요.
오 못테 키마시타

「持(も)ってくる 못테 쿠루」는 '챙겨오다, 가져오다'라는 뜻으로 위의 표현처럼 무언가를 가지고 왔다고 상대방에게 알려주는 경우에 활용할 수 있습니다.

❶ カイロ
카이로
핫팩

❷ 折(お)りたたみ傘(がさ)
오리타타미가사
접이식 우산

❸ 上着(うわぎ)
우와기
겉옷

STEP 3 일본인과 대화하듯 말해 보세요!

- 녹음을 들으며 빈칸에 들어갈 말을 쓰고 따라 말해 보세요!

상황1 날도 좋은데 산책하러 갈래요?

A 今日(きょう)は [　　　　　　　　]。
오늘은 날씨가 좋네요.

B 本当(ほんとう)に [　　　　　　　　]。
정말 산책에 딱이네요(산책하기 딱 좋네요).

상황2 환절기에는 옷을 잘 챙겨야 해요.

A 午後(ごご)からは [　　　　　　　　]。
오후부터는 춥대요.

B だから [　　　　　　　　]。
그래서 겉옷을 챙겨왔어요.

상황3 꽃구경에는 도시락이 필수!

A ここは [　　　　　　　　]。
여기는 꽃구경에 딱이네요(꽃구경하기 딱 좋네요).

B はい、お弁当(べんとう)も [　　　　　　　　]。
네, 도시락도 챙겨왔어요.

STEP 4 문제를 풀어 보며 실력을 쌓아 보세요!

1 녹음을 듣고, 아래 내용이 맞으면 O, 틀리면 X 표시해 보세요.

❶ 昨日(きのう)はPM(ピーエム)2.5(にてんご)がひどかったのに。

❷ 午後(ごご)からは雨(あめ)だそうですよ。

2 다음 문장을 한국어로 해석해 보세요.

❶ 今日(きょう)はピクニックにぴったりですね。

▶ ______________________________

❷ だから今日(きょう)傘(かさ)を持(も)ってきました。

▶ ______________________________

❸ 彼氏(かれし)はカイロを持(も)ってきました。

▶ ______________________________

3 제시어를 참고하여 다음 문장을 일본어로 써 보세요.

❶ 하지만 오후부터는 날씨가 좋대요.

▶ ______________________________

❷ 오늘 접이식 우산을 챙겨왔어요.

▶ ______________________________

❸ 이 신발 러닝하기에 딱이네요.

▶ ______________________________ (* ランニング 러닝, 달리기)

Day 63

요즘 대세는?

오늘의 표현 요즘 유행하는 것과 그중 특히 유행하는 것을 나타내는 표현을 학습해 봅시다.

표현 01 [　　　　] が流行(はや)っています。

~이/가 유행하고 있어요.

표현 02 特(とく)に [　　　　] が人気(にんき)です。

특히 ~이/가 인기예요.

STEP 1 실생활에서 일본인은 이렇게 말해요!

Track 63-01

다구치

最近(さいきん)、みんなキーホルダーを持(も)っていますね。

사이킹 민나 키-호루다-오 못테 이마스네

요즘 다들 키홀더를 갖고 있네요.

야마모토

最近(さいきん)、キーホルダー**が流行(はや)っています**って。

사이킹 키-호루다-가 하얏테 이마슷테

최근에 키홀더가 유행하고 있대요.

다구치

そうですか。不思議(ふしぎ)ですね。

소-데스까 후시기데스네

그래요? 신기하네요.

야마모토

特(とく)にぬいぐるみ**が人気(にんき)です**。

토쿠니 누이구루미가 닝키데스

특히 인형 키홀더가 인기예요.

다구치

山本(やまもと)さんも持(も)っているんですか。

야마모토삼모 못테 이룬데스까

야마모토 씨도 갖고 있어요?

야마모토

はい、先週買(せんしゅうか)いました。

하이 센슈- 카이마시타

네, 지난주에 샀어요.

새 단어

- キーホルダー 키홀더
- 流行(はや)る 유행하다
- 不思議(ふしぎ)だ 신기하다
- 特(とく)に 특히
- ぬいぐるみ 봉제 인형
- 持(も)つ 가지다
- 先週(せんしゅう) 지난주

STEP 2 다양한 상황 속에서 말해 보세요!

표현 01

[　　　　] が流行(はや)っています。 ~이/가 유행하고 있어요.
가 하얏테 이마스

'유행하고 있다'라고 말할 때 「流行(はや)っている 하얏테 이루」라고 표현합니다.

1. 日本(にほん)でもMBTI(エムビーティーアイ)
   니혼데모 에무비-티-아이
   일본에서도 MBTI
2. 最近(さいきん)、インフル
   사이킹 잉후루
   최근, 독감
3. UFO(ユーフォー)キャッチャ
   유-호- 캿챠
   인형 뽑기

새 단어
MBTI(エムビーティーアイ) MBTI(성격 유형 검사)
インフル 독감

표현 02

特(とく)に [　　　　] が人気(にんき)です。 특히 ~이/가 인기예요.
토쿠니 가 닝키데스

「特(とく)に 토쿠니」는 '특히'라는 뜻으로 위의 표현처럼 그중에서도 특히 인기인 것을 나타낼 때 쓸 수 있습니다.

1. ヒトカラ
   히토카라
   혼코(혼자 노래방에 가는 것)
2. 無印(むじるし)の食(た)べ物(もの)
   무지루시노 타베모노
   무인양품의 음식
3. 激辛(げきから)ラーメン
   게키카라 라-멩
   아주 매운 라면

새 단어
無印(むじるし) 무인양품
激辛(げきから) 아주 매운 맛

STEP 3 일본인과 대화하듯 말해 보세요!

Track 63-03

● 녹음을 들으며 빈칸에 들어갈 말을 쓰고 따라 말해 보세요!

상황1 일본에서도 MBTI를?

A 日本(にほん)でも ______________。

일본에서도 MBTI가 유행하고 있어요.

B そうですか。______________。

그래요? 신기하네요.

상황2 맛있고 간편하게 먹을 수 있는 무인양품 음식!

A 無印(むじるし)って ______________。

무인양품이 인기네요.

B 特(とく)に ______________。

특히 무인양품의 음식이 인기예요.

상황3 세계적으로 유명해진 매운 라면!

A 韓国(かんこく)でも ______________。

한국에서도 라면이 유행하고 있네요.

B その中(なか)でも ______________。

그중에서도 특히 아주 매운 라면이 인기예요.

STEP 4 문제를 풀어 보며 실력을 쌓아 보세요!

Track 63-04

1 녹음을 듣고, 아래 내용이 맞으면 O, 틀리면 X 표시해 보세요.

❶ 特(とく)にぬいぐるみが人気(にんき)です。

❷ 山本(やまもと)さんも先週(せんしゅう)買(か)いました。

2 다음 문장을 한국어로 해석해 보세요.

❶ 最近(さいきん)、みんなキーホルダーを持(も)っていますね。

▶ ______________________________

❷ 最近(さいきん)、インフルが流行(はや)っています。

▶ ______________________________

❸ 特(とく)にヒトカラが人気(にんき)です。

▶ ______________________________

3 제시어를 참고하여 다음 문장을 일본어로 써 보세요.

❶ 최근에 인형 뽑기가 다시 유행이래요.

▶ ______________________________ (* また 다시)

❷ 특히 인형 키홀더가 인기예요.

▶ ______________________________

❸ 그래요? 걱정이네요.

▶ ______________________________

Day 64 중독돼 버렸어

완전히 매료된 것과 이와 반대로 지겨운 것을 나타내는 표현을 학습해 봅시다.

표현 01 [　　　　] に夢中(むちゅう)ですね。

~에 푹 빠졌네요.

표현 02 [　　　　] はうんざりです。

~은/는 지긋지긋해요.

STEP 1 실생활에서 일본인은 이렇게 말해요!

Track 64-01

메이

私(わたし)もインスタのアカウントを作(つく)りました。

와타시모 인스타노 아카운토오 츠쿠리마시타

저도 인스타 계정을 만들었어요.

요시노

最近(さいきん)、みんなインスタ**に夢中(むちゅう)ですね**。

사이킹 민나 인스타니 무츄-데스네

요즘 다들 인스타에 푹 빠졌네요.

메이

最近(さいきん)は連絡(れんらく)もDM(ディーエム)でしますよ。

사이킹와 렌라쿠모 디-에무데 시마스요

요즘은 연락도 DM으로 해요.

요시노

僕(ぼく)はアカウントを消(け)しました。

보쿠와 아카운토오 케시마시타

저는 계정 삭제했어요.

메이

え、なんでですか。

에 난데데스까

어, 왜요?

요시노

もうアプリの通知(つうち)**はうんざりです**。

모- 아푸리노 츠-치와 운자리데스

이제 앱 알림은 지긋지긋해요.

새 단어

インスタ 인스타그램

アカウント 계정

夢中(むちゅう)だ 빠지다, 열중하다

DM(ディーエム) 개인 메시지, 쪽지

消(け)す 삭제하다, 지우다

もう 이제

アプリ 앱(어플리케이션)

通知(つうち) 알림

うんざりだ 지긋지긋하다

STEP 2 다양한 상황 속에서 말해 보세요!

표현 01 [　　　　]に夢中(むちゅう)ですね。 ~에 푹 빠졌네요.
니 무츄-데스네

「…に夢中(むちゅう)だ 니 무츄-다」는 '~에 빠지다, 열중하다, 몰두하다'라는 의미로 무언가에 정신없이 푹 빠졌다고 말할 때 쓰는 표현입니다.

❶ みんなインスタの投稿(とうこう)
민나 인스타노 토-코-
다들 인스타 업로드

❷ 写真(しゃしん)の加工(かこう)
샤신노 카코-
사진 보정

❸ ショート動画(どうが)
쇼-토 도-가
쇼츠 영상

Tip
「…にハマる 니 하마루」와 비슷하지만 「…に夢中(むちゅう)だ 니 무츄-다」가 조금 더 좋아하는 대상에 정신이 팔려서 집중한 뉘앙스를 내포합니다.

새 단어
投稿(とうこう) 업로드, 투고
加工(かこう) 보정, 가공

표현 02 [　　　　]はうんざりです。 ~은/는 지긋지긋해요.
와 운자리데스

「うんざりだ 운자리다」는 '지긋지긋하다, 진절머리가 난다'라는 뜻으로 무언가에 싫증나거나 질려서 싫어졌다고 말할 때 쓰는 표현입니다.

❶ 自慢話(じまんばなし)
지맘바나시
자랑글

❷ スパムDM(ディーエム)
스파무 디-에무
스팸 DM

❸ 動画広告(どうがこうこく)
도-가 코-코쿠
동영상 광고

새 단어
スパム 스팸(대량 광고)

STEP 3 일본인과 대화하듯 말해 보세요!

Track 64-03

● 녹음을 들으며 빈칸에 들어갈 말을 쓰고 따라 말해 보세요!

상황1 시대의 흐름에 발맞춰야지!

A みんな ＿＿＿＿＿＿＿＿＿＿。

다들 인스타 업로드에 푹 빠졌네요.

B 私(わたし)も ＿＿＿＿＿＿＿＿＿＿。

저도 인스타 계정을 만들었어요.

상황2 친구야, 자랑글 좀 그만~!

A なんで ＿＿＿＿＿＿＿＿＿＿。

왜 계정을 삭제한 거예요?

B 自慢話(じまんばなし) ＿＿＿＿＿＿＿＿＿＿。

자랑글은 지긋지긋해요.

상황3 쇼츠에 중독돼 버렸어….

A ショート動画(どうが) ＿＿＿＿＿＿＿＿＿＿。

쇼츠 영상에 푹 빠졌네요.

B はい、＿＿＿＿＿＿＿＿＿＿。

네, 동영상 광고는 지긋지긋해요.

STEP 4 문제를 풀어 보며 실력을 쌓아 보세요!

Track 64-04

1 녹음을 듣고, 아래 내용이 맞으면 O, 틀리면 X 표시해 보세요.

❶ 最近(さいきん)、みんなインスタに夢中(むちゅう)ですね。

❷ 最近(さいきん)は連絡(れんらく)もDM(ディーエム)でしますよ。

2 다음 문장을 한국어로 해석해 보세요.

❶ 僕(ぼく)はインスタのアカウントを消(け)しました。

▶ ______________________

❷ 私(わたし)ももうアプリの通知(つうち)はうんざりです。

▶ ______________________

❸ みんな、写真(しゃしん)の加工(かこう)に夢中(むちゅう)ですね。

▶ ______________________

3 제시어를 참고하여 다음 문장을 일본어로 써 보세요.

❶ 이제 스팸 DM은 지긋지긋해요.

▶ ______________________

❷ 유튜브 동영상 광고는 지긋지긋해요.

▶ ______________________

(* ユーチューブ 유튜브(YouTube))

❸ 요즘 요리에 푹 빠졌네요.

▶ ______________________

Day 65 오늘은 뭐 먹지?

오늘의 표현 음식을 주문할 때 먹고 싶은 음식을 말하고 선택하는 표현을 학습해 봅시다.

표현 01 [   ] って気分(きぶん)です。

~인/한 기분이에요.

표현 02 [   ] にします。

~(으)로 할게요.

STEP 1 실생활에서 일본인은 이렇게 말해요!

Track 65-01

메이

何(なに)頼(たの)みましょうか。

나니 타노미마쇼-까

뭐 주문할까요?

요시노

今日(きょう)はチキンって気分(きぶん)です。

쿄-와 치킨ㅅ테 키분데스

오늘은 치킨이 먹고 싶은 기분이에요.

메이

チキンもいいですね、頼(たの)みましょう。

치킴모 이-데스네 타노미마쇼-

치킨도 괜찮네요. 시켜요.

요시노

メイさんは何(なに)にしますか。

메이상와 나니니 시마스까

메이 씨는 뭘로 할 거예요?

메이

私(わたし)は焼(や)きうどんにします。

와타시와 야키우돈니 시마스

저는 볶음 우동으로 할게요.

요시노

じゃ、シェアしましょう。

쟈 쉐아 시마쇼-

그럼 셰어해요(나눠 먹어요).

> **새 단어**
> 焼(や)きうどん 볶음 우동
> …にする ~(으)로 하다
> シェア 셰어(share), 공유

STEP 2 다양한 상황 속에서 말해 보세요!

표현 01

[　　　　] って気分(きぶん)です。 ~인/한 기분이에요.
스테 키분데스

「…って気分(きぶん) 스테 키분」은 '~인/한 기분'이라는 뜻으로 앞에 음식을 나타내는 단어와 함께 사용하면 지금 어떤 음식을 먹고 싶은 기분인지 나타낼 수 있습니다.

❶ 辛口(からくち)のカレー
카라쿠치노 카레-
매운 카레(가 먹고 싶은)

❷ 母(はは)の手料理(てりょうり)
하하노 테료-리
엄마의 요리(가 먹고 싶은)

❸ アヒージョ
아히-죠
감바스(가 먹고 싶은)

새 단어

辛口(からくち) 매운맛

カレー 카레

手料理(てりょうり) 손수 만든 요리, 가정 요리

표현 02

[　　　　] にします。 ~(으)로 할게요.
니 시마스

「…にする 니 스루」는 '~(으)로 하다'라는 뜻으로 여러 선택지 중에서 한 가지를 결정할 때 쓰는 표현입니다.

❶ 日替(ひが)わり定食(ていしょく)
히가와리 테-쇼쿠
오늘의 정식

❷ 佐藤(さとう)さんと同(おな)じもの
사토-산토 오나지모노
사토 씨랑 같은 것

❸ 手羽先(てばさき)
테바사키
닭날개 튀김

Tip

'같다'라는 뜻의 「同(おな)じだ 오나지다」는 な형용사이지만, 명사를 꾸밀 때 「同(おな)じな 오나지나+명사」라고 하지 않고 「同(おな)じ 오나지+명사」라고 하므로 주의해 주세요.

새 단어

日替(ひが)わり 날마다 바뀜

定食(ていしょく) 정식

同(おな)じだ 같다

もの 것, 물건

STEP 3 일본인과 대화하듯 말해 보세요!

• 녹음을 들으며 빈칸에 들어갈 말을 쓰고 따라 말해 보세요!

상황1 올리브 오일에 빠진 새우, 감바스가 당겨요!

A 何(なに) [ ]。
뭐 주문할까요?

B アヒージョ [ ]。
감바스가 먹고 싶은 기분이에요.

상황2 고민될 땐 오늘의 정식이지!

A 何(なに) [ ]。
뭘로 할 거예요?

B 日替(ひが)わり [ ]。
오늘의 정식으로 할게요.

상황3 저도 같은 걸로요!

A 今(いま)、[ ]。
지금 매운 카레가 먹고 싶은 기분이에요.

B じゃあ、私(わたし)も [ ]。
그럼 저도 요시노 씨랑 같은 걸로 할게요.

STEP 4 문제를 풀어 보며 실력을 쌓아 보세요!

1 녹음을 듣고, 아래 내용이 맞으면 O, 틀리면 X 표시해 보세요.

❶ 今日(きょう)はチキンって気分(きぶん)です。

❷ 私(わたし)は焼(や)きうどんにします。

2 다음 문장을 한국어로 해석해 보세요.

❶ 辛口(からくち)のカレーもいいですね、頼(たの)みましょう。

▶ ____________________

❷ じゃ、シェアしましょう。

▶ ____________________

❸ 今日(きょう)は、母(はは)の手料理(てりょうり)って気分(きぶん)です。

▶ ____________________

3 제시어를 참고하여 다음 문장을 일본어로 써 보세요.

❶ 닭날개 튀김으로 할게요.

▶ ____________________

❷ 추천 메뉴로 할게요.

▶ ____________________

(* おすすめメニュー 추천 메뉴)

❸ 오늘 저녁은 초밥이 먹고 싶은 기분이에요.

▶ ____________________

Day 66 시간 때우기

오늘의 표현 한가할 때, 심심풀이로 무엇을 하는지 나타내는 표현을 학습해 봅시다.

표현 01 暇(ひま)な時(とき)は ＿＿＿ ます。

한가할 때는 ~(해)요.

표현 02 暇(ひま)つぶしで ＿＿＿ います。

심심풀이로 ~있어요.

STEP 1 실생활에서 일본인은 이렇게 말해요!

메이

明日(あした)から3連休(さんれんきゅう)なのに、することがないですね。

아시타카라 산렌큐-나노니 스루 코토가 나이데스네

내일부터 사흘 연휴인데 할 게 없네요.

요시노

私(わたし)もです。メイさんは休日(きゅうじつ)に何(なに)をしますか。

와타시모데스 메이상와 큐-지츠니 나니오 시마스까

저도요, 메이 씨는 휴일에 뭐 하세요?

메이

暇(ひま)な時(とき)はカフェ巡(めぐ)りをし**ます**。

히마나 토키와 카훼메구리오 시마스

한가할 때는 카페 투어를 해요.

요시노

カフェ巡(めぐ)りいいですね！

카훼메구리 이-데스네

카페 투어 좋네요!

메이

吉野(よしの)さんは暇(ひま)な時(とき)、何(なに)をしますか。

요시노상와 히마나 토키 나니오 시마스까

요시노 씨는 한가할 때 무엇을 해요?

요시노

私(わたし)は**暇(ひま)つぶしで**動画編集(どうがへんしゅう)をして**います**。

와타시와 히마츠부시데 도-가 헨슈-오 시테 이마스

저는 심심풀이로 영상 편집을 하고 있어요.

새 단어

3連休(さんれんきゅう) 사흘 연휴

…なのに ~인데

休日(きゅうじつ) 휴일

暇(ひま)つぶし 심심풀이

動画(どうが) 영상

STEP 2 다양한 상황 속에서 말해 보세요!

표현 01

暇な時は [ ] ます。 한가할 때는 ~(해)요.
히마나 토키와 마스

「暇な時 히마나 토키」는 '한가할 때'라는 뜻으로 여가 시간에 무엇을 하는지 나타낼 때 쓸 수 있는 표현입니다.

① タロットカード占いをし
타롯토 카-도 우라나이오 시
타로카드 점을 봐

② ドラマを一気見し
도라마오 익키미시
드라마를 정주행해

③ ゲームアプリで遊び
게-무아푸리데 아소비
게임 앱으로 놀아

새 단어

タロットカード 타로카드
占い 점
一気見 정주행
遊ぶ 놀다

표현 02

暇つぶしで [ ] います。 심심풀이로 ~있어요.
히마츠부시데 이마스

「暇つぶし 히마츠부시」는 '심심풀이'라는 뜻으로 위의 표현처럼 남는 시간을 지루하지 않게 보내기 위해 어떤 것을 하며 보내는지 나타낼 때 쓸 수 있는 표현입니다.

① 副業をして
후쿠교-오 시테
부업을 하고

② イラストを描いて
이라스토오 카이테
일러스트를 그리고

③ ベーキングして
베-킹구 시테
베이킹을 하고

새 단어

副業 부업
イラスト 일러스트
描く 그리다

STEP 3 일본인과 대화하듯 말해 보세요!

Track 66-03

• 녹음을 들으며 빈칸에 들어갈 말을 쓰고 따라 말해 보세요!

상황1 타로카드로 보는 나의 운은?

A 暇(ひま)な時(とき)は ____________________。

한가할 때는 타로카드 점을 봐요.

B タロット ____________________。

타로 좋네요!

상황2 영상 편집은 나의 취미이자 특기!

A 暇(ひま)な時(とき)、____________________。

한가할 때, 무엇을 해요?

B 暇(ひま)つぶしで ____________________。

심심풀이로 영상 편집을 하고 있어요.

상황3 아무 생각 없이 게임만 하고 싶다….

A 暇(ひま)つぶしで ____________________。

심심풀이로 무엇을 해요?

B 暇(ひま)な時(とき)は ____________________。

한가할 때는 게임 앱으로 놀아요.

STEP 4 문제를 풀어 보며 실력을 쌓아 보세요!

Track 66-04

1 녹음을 듣고, 아래 내용이 맞으면 O, 틀리면 X 표시해 보세요.

❶ 明日(あした)から3連休(さんれんきゅう)なのに、することがないですね。

❷ 私(わたし)は暇(ひま)な時(とき)はカフェ巡(めぐ)りをします。

2 다음 문장을 한국어로 해석해 보세요.

❶ 私(わたし)もです。メイさんは休日(きゅうじつ)に何(なに)をしますか。

❷ 最近(さいきん)、暇(ひま)な時(とき)はドラマを一気見(いっきみ)します。

▶ ______________________________

❸ ドラマ一気見(いっきみ)いいですね！

▶ ______________________________

3 제시어를 참고하여 다음 문장을 일본어로 써 보세요.

❶ 심심풀이로 부업을 하고 있어요.

▶ ______________________________

❷ 한가할 때는 퍼즐을 맞춰요.

▶ ______________________________

(* パズルをする 퍼즐을 맞추다)

❸ 요즘 심심풀이로 남편과 베이킹을 하고 있어요.

▶ ______________________________

말하기 챌린지 & 연습 문제

모범 답안 및 정답

PART 1 모범 답안 및 정답

Day 1

018p

STEP3 말하기 챌린지!

ありますか / ありません

STEP4

1. 質問 / 今は

2. ① 約束がありますか。
   ② 今日は時間ありません。
   ③ 明日時間あります。

3. もしもし / はい / ありますか / エアーポッズはありません

Day 2

022p

STEP3 말하기 챌린지!

いますか / います

STEP4

1. 兄弟は何人 / 二人

2. ① 彼女いますか。
   ② でも妻はいます。
   ③ いいえ、家にいません。

3. 彼女いますか。/ いません / います / そうなんですか

Day 3

026p

STEP3 말하기 챌린지!

がほしいですか / 車がほしいです

STEP4

1. マフラー / いいえ、私は手袋

2. ① 私は新しいアイフォーンがほしいです。
   ② かばんがほしいですか。
   ③ うらやましいです！

3. プレゼントです / 素敵ですね / コートがほしいですか / 靴がほしいです

Day 4

030p

STEP3 말하기 챌린지!

っていつですか / です

STEP4

1. 誕生日 / １１月２０日

2. ① 卒業式っていつですか。
   ② 来月15日です。
   ③ アルバムの発売っていつですか。

3. 引っ越しっていつですか / あさってです / どこに / 近くです

Day 5

034p

STEP3 말하기 챌린지!

でしたっけ / じゃないです

STEP4

1. 今日、誕生日 / いいえ、今日

2. ① 田村さんは一人っ子でしたっけ。
   ② 大学生じゃないです。
   ③ 外国人じゃないです。

3. 今日は昨日より / そうですね / でしたっけ / じゃないですよ / からです

Day 6

038p

STEP3 말하기 챌린지!

はどうですか / です

STEP4

1. 今日の天気 / 肌寒いです

2. ① 味はどうですか。
   ② 気分はどうですか。
   ③ 気まずいです。

3. もう / お腹空きましたね / どうですか / いいですよ

Day 7

042p

STEP3 말하기 챌린지!

と / とどっちが / ですか / の方が / です

STEP4

1. 夏と冬 / 冬

2. ① ウーロン茶飲みますか。
   ② 実物と写真とどっちが可愛いですか。
   ③ 写真の方が可愛いです。

3. コーヒー / ありがとうございます / ホット / アイス / アイス

Day 8

046p

STEP3 말하기 챌린지!

ことはできますか / はできます

STEP4

1. Wi-Fiを使う / ここで

2. ① 泳ぐことはできますか。
   ② ギターはできません。
   ③ 英語はできません。

3. お願いがあります / 何ですか / ことはできますか / 今日中にはできません

Day 9

050p

STEP3 말하기 챌린지!

ませんか / いいですよ / ましょう

STEP4

1. 旅行に行き / 旅行に行き

2. ① どこで会いましょうか。
   ② 銀座駅で会いましょう。
   ③ 週末に旅行に行きませんか。

3. ませんか / そうしましょう / 会いましょうか / いいですよ

Day 10

054p

STEP3 말하기 챌린지!

よく / ますか / あまり / ません

STEP4

1. 筋トレをし / 運動はし

2. ① よくネットフリックスを見ますか。
   ② あまり野菜は食べません。

③ 夏にサングラスはよくかけますか。

3. どこですか / です / よく / ますか / あまり / ません

Day 11

058p

STEP3 말하기 챌린지!

全然 / ないです / じゃ / てみますね

STEP4

1. 親切じゃ / ほかの人に頼ん

2. ① この料理、全然難しくないです。
② じゃ、私も作ってみますね。
③ 私も努力してみますね。

3. ボランティア / 大変じゃないですか / ないですよ / じゃ / てみますね

Day 12

062p

STEP3 말하기 챌린지!

お願いします / ときます

STEP4

1. 帰りにお弁当を / はい、買っ

2. ① 今すぐお願いします。
② オフィスの掃除をお願いします。
③ 彼に連絡しときます。

3. 来ていますか / まだです / お願いします / ときます

Day 13

066p

STEP3 말하기 챌린지!

てもいいですか / ちゃだめです

STEP4

1. ここで写真撮っ / 写真撮っ

2. ① 今日お酒飲んでもいいですか。
② 飲んじゃだめです。
③ これ着てみてもいいですか。

3. てもいいですか / ちゃだめです / なんでですか / 切れています

Day 14

070p

STEP3 말하기 챌린지!

ましたか / まだ / てないです

STEP4

1. 会議は終わり / 終わっ

2. ① 昨日この記事見ましたか。
② ジムは登録しましたか。
③ まだ登録してないです。

3. 見ましたか / まだ見てないです / すごかったですよ / ネタバレ禁止

Day 15

074p

STEP3 말하기 챌린지!

てください / てから / ます

STEP4

1. 電話し / 仕事が終わっ / 電話し

2. ① 映画のチケットを予約してください。
② まず仕事が終わってから予約します。
③ いつでも連絡してください。

3. 具合悪いですか / みたいです / ください / まず / んでから

Day 16
078p

STEP3 말하기 챌린지!

たことありますか / たことありません

STEP4

1. 宝くじを買っ / はい、買っ

2. ① 芸能人に会ったことありますか。
② まだ会ったことありません。
③ 北海道に行ったことありますか。

3. 使ったことありますか / 使ったことありません / 写りが / してみますね

Day 17
082p

STEP3 말하기 챌린지!

すぎました / だ方がいいですよ

STEP4

1. 寝 / ストレッチをし

2. ① 怒りすぎました。
② 早く謝った方がいいですよ。
③ 早く出発した方がいいですよ。

3. 顔色が悪いですね / すぎました / た方がいいですよ / 気をつけます

Day 18
086p

STEP3 말하기 챌린지!

たいです / たらどうですか

STEP4

1. 洋服を買い / 週末に買い物し

2. ① 広い家に住みたいです。
② 引っ越したらどうですか。
③ 世界一周したいです。

3. 何かありましたか / たいです / たらどうですか / そうします

Day 19
090p

STEP3 말하기 챌린지!

ますか / だり / たりします

STEP4

1. 普段、どこで服を買い / ネットで買っ / デパートに行っ

2. ① 寝る前に何をしますか。
② ゲームをしたり、音楽を聴いたりします。
③ デートの時、何をしますか。

3. ありますか / 予定ないですよ / 何をしますか / だり / たりします

Day 20
094p

STEP3 말하기 챌린지!

てくれませんか / たところです

STEP4

1. 資料を送っ / 今送っ

2. ① 彼に連絡してくれませんか。
   ② 今連絡したところです。
   ③ 今着いたところです。

3. 暑くないですか / ちょうど / てくれません か / たところです

Day 21

098p

STEP3 말하기 챌린지!

つもりですか / つもりです

STEP4

1. いつ帰国する / 明日帰る

2. ① いつ休職するつもりですか。
   ② 彼に言わないつもりですか。
   ③ 本当に真面目ですね。

3. 連休ですね / つもりですか / つもりです / うわ

Day 22

102p

STEP3 말하기 챌린지!

なかなか / ません / しかないですね

STEP4

1. 体重が落ち / 毎日運動する

2. ① なかなか雨が止みません。
   ② 傘を買うしかないですね。
   ③ 残業するしかないですね。

3. 悩みでも / なかなか / ません / しかないで すね

Day 23

106p

STEP3 말하기 챌린지!

ないといけないんですか / なくてもいいで すよ

STEP4

1. 今日、残業し / 今日はし

2. ① 必ず参加しないといけないんですか。
   ② 名前と住所を書かないといけないんで すか。
   ③ いいえ、住所は書かなくてもいいです よ。

3. 飲み会に行きますか / ないといけないんで すか / なくてもいいですよ / 今度行きます

Day 24

110p

STEP3 말하기 챌린지!

ています / ないでください

STEP4

1. こころから応援し / 心配し

2. ① ずっと考えています。
   ② 悩まないでください。
   ③ イベントを行っています。

3. また / ています / ないでください / なかな か / ません

Day 25

114p

STEP3 **말하기 챌린지!**

いくら / ても / ません / てほしいです

STEP4

1. 言っ / 聞き / もう諦め

2. ① いくら具合が悪くても病院に行きません。

② いくら運動しても痩せません。

③ ダイエットはゆっくりしてほしいです。

3. 見ませんでしたか / またなくしましたか / いくら / ても / ません / 気をつけてほしいです

Day 26

118p

STEP3 **말하기 챌린지!**

ことにしました / といえば / でしょう

STEP4

1. 冬休みに札幌に行く / 冬 / 札幌

2. ① 来週、合コンすることにしました。

② 大学生といえば合コンでしょう。

③ 唐揚げといえばビールでしょう。

3. クリスマスですね / ことにしました / といえば / でしょう / 楽しみですね

Day 27

122p

STEP3 **말하기 챌린지!**

でしょ / たばかりです

STEP4

1. 映画はもう始まった / 今始まっ

2. ① 明日、祝日でしょ。

② 夕飯はまだでしょ。

③ はい、家に着いたばかりです。

3. でしょ / だばかりです / 頼みましたか

Day 28

126p

STEP3 **말하기 챌린지!**

のために / でいます / ない方がいいです

STEP4

1. 未来 / 財テクをし / 欲張ら

2. ① テストのために徹夜しています。

② 無理しない方がいいです。

③ 就職のために勉強しています。

3. 何を作っていますか / のために / ています / ない方がいいですよ

Day 29

130p

STEP3 **말하기 챌린지!**

みたいですね / そうですよ

STEP4

1. あの二人、恋人 / おさななじみだ

2. ① 道が混んでいるみたいですね。

② 事故があったそうですよ。

③ 試験に合格したそうですよ。

3. みたいですね / そうですよ / うそ / 本当ですよ

Day 30

134p

STEP3 **말하기 챌린지!**

かもしれません / といいですね

STEP4

1. あのカフェ、おしゃれ / それより、静かだ
2. ① 今日雨かもしれません。
   ② いっそ雪だといいですね。
   ③ よく似合うかもしれません。
3. 今の部屋 / かもしれません / といいですね

Day 31

138p

STEP3 **말하기 챌린지!**

んですか / らしいです

STEP4

1. そのノートパソコン、重い / このブランドが一番軽い
2. ① 一体いつ終わるんですか。
   ② もうすぐ終わるらしいです。
   ③ なんで怒っているんですか。
3. んですか / らしいです / んですか / らしいです

Day 32

142p

STEP3 **말하기 챌린지!**

なんで / んですか / からです

STEP4

1. この俳優は / 人気な / イケメンで演技派だ
2. ① なんで遅く退勤したんですか。
   ② なんで日本語が上手なんですか。
   ③ 日本のアニメが好きだからです。
3. なんで / んですか / からです / どんな / でした

Day 33

146p

STEP3 **말하기 챌린지!**

んじゃないですか / と思いますよ

STEP4

1. 今田中さん忙しい / いいえ、暇だ
2. ① 調子が悪いんじゃないですか。
   ② 風邪だと思いますよ。
   ③ 今日は休みだと思いますよ。
3. 終わりましたか / んじゃないですか / と思いますよ / やばい

PART2 모범 답안 및 정답

Day 34

152p

STEP3

상황1. にハマっています / J-POPにハマっています

상황2. が好きですか / ゴロゴロするのが好きです

상황3. 趣味は何ですか / アニメを見るのが好きです

STEP4

1. ① X ② ○

녹음
① 私は家でゴロゴロするのが好きです。
② 私は最近J-POPにハマっています。

2. ① 요즘 일본 캐릭터 굿즈에 빠졌어요.
② 저는 애니메이션을 보는 걸 좋아해요.
③ 요즘 남자 아이돌 그룹에 빠졌어요.

3. ① どんな曲を聴いていますか。
② 推し活、いいですね。
③ 最近、ゲームにハマっています。

Day 35

156p

STEP3

상황1. 独特ですね / お気に入りのブランドです

상황2. 好きですか / は好みじゃないです

상황3. どうですか / は好みじゃないです

STEP4

1. ① ○ ② X

녹음
① お気に入りのチームです。
② 黒は好みじゃないです。

2. ① 그 머그컵, 디자인이 독특하네요.
② 요시노 씨는 검정색을 좋아하는군요.
③ 스트라이프 무늬 가방은 취향이 아니에요.

3. ① 黒は好みじゃないです。
② 甘いものは好みじゃないです。
③ 最近、お気に入りのチームです。

Day 36

160p

STEP3

상황1. 誰ですか / 一番好きなインフルエンサーです

상황2. 一番好きな歌手です / って感じですね

상황3. って感じですね / 理想のタイプです

STEP4

1. ① ○ ② X

녹음
① 私の一番好きな歌手です。
② お姫様って感じですね。

2. ① 요즘 가장 좋아하는 축구 선수예요.
② 이중에서 최애는 누구예요?

③ 공주님, 왕자님 같은 느낌이네요.

3. ① 最近、私の一番好きな芸人です。

② インフルエンサーって感じですね。

③ おしゃれって感じですね。

Day 37

164p

STEP3

상황1. どんな性格ですか / 素直な方です

상황2. どんな人ですか / どっちかというと厳しいです

상황3. 静かな方です / どっちかというとお茶目です

STEP4

1. ① X ② X

> **녹음**
> ① 私は素直な方です。
> ② 全然そう見えません。

2. ① 요시노 씨는 어떤 성격이에요?

② 저는 제멋대로인 편이에요.

③ 어느 쪽이냐 하면 얌전해요.

3. ① やっぱりそうだと思いました。

② その人は親切な方です。

③ どっちかというとちょっとせっかちです。

Day 38

168p

STEP3

상황1. 一人います / お兄さんとそっくりですね

상황2. 似ていますか / は真逆です

상황3. お母さんとそっくりですね / は真逆です

STEP4

1. ① X ② O

> **녹음**
> ① お父さんとそっくりですね。
> ② 年子の兄が一人います。

2. ① 와, 형(오빠)이랑 똑 닮았네요!

② 연년생 형(오빠)이 한 명 있어요.

③ 좋아하는 타입은 정반대예요.

3. ① 兄弟いますか。

② お父さんに似ていますか。

③ えくぼがお母さんとそっくりですね。

Day 39

172p

STEP3

상황1. ソウル出身ですか / 生まれはプサンです

상황2. って何が有名ですか / で有名なところですよ

상황3. って何が有名ですか / で有名なところですよ

STEP4

1. ① ○ ② X

> **녹음**
> ① 生まれは韓国のソウルです。
> ② プサンは海鮮で有名なところですよ。

2. ① 그는 원래 도쿄 출신이에요?

② 태어난 곳은 나라예요. 근데 성장한 곳은 도쿄예요.

③ 복숭아로 유명한 곳이에요.

3. ① 本当ですか。知らなかったです！

② なるほど。ソウルって何が有名ですか。

③ 新鮮な海鮮で有名なところですよ。

Day 40

176p

STEP3

상황1. が好きですか / 人が理想のタイプです

상황2. がタイプですか / 穏やかな人がいいなと思ってます

상황3. タイプですか / 聞き上手な人がいいなと思ってます

STEP4

1. ① ○ ② ○

> **녹음**
> ① 真面目な人が理想のタイプです。
> ② 優しい人がいいなと思ってます。

2. ① 어떤 사람이 (당신의) 타입이에요?

② 매너가 좋은 사람이 이상형이에요.

③ 미소가 귀여운 사람이 좋다고 생각해요.

3. ① 今は好きな人いませんよ。

② 例えば。

③ ポジティブな人が理想のタイプです。

Day 41

180p

STEP3

상황1. 空いて(い)ますか / 空いて(い)ますよ

상황2. 映画見に行きませんか / 映画いいですね

상황3. ショッピングしに行きませんか / 空いて(い)ますよ

STEP4

1. ① ○ ② X

> **녹음**
> ① 今日の午後空いてますか。
> ② よかったら映画見に行きませんか。

2. ① 괜찮으면 돌아가는 길에 술 마시러 가지 않을래요?

② 몇 시가 좋아요?

③ 스케줄 비어 있나요?

3. ① 明日の午後、スケジュール空いてますか。

② ミュージカルいいですね、行きましょう。

③ 何時でもいいです。

Day 42

184p

STEP3

상황1. 明日デートですね / 行こうと思って(い)ます

상황2. いいデートコースがあれば教えてください / どうですか

상황3. ステーキを食べようと思って(い)ます / があれば教えてください

STEP4

1. ① X ② ○

> **녹음**
> ① 明日日帰り旅行に行こうと思ってます。
> ② ほかに有名なスポットがあれば教えてください。

2. ① 야경을 보러 가려고 해요.
② 그밖에 좋은 데이트 코스가 있으면 알려주세요.
③ 그밖에 핫플레이스(유명한 곳)가 있으면 알려주세요.

3. ① 明日初デートですね。
② プロポーズしようと思って(い)ます。
③ ほかにおしゃれなワインバーがあれば教えてください。

Day 43

188p

STEP3

상황1. 約束をうっかりしました / まずいですね

상황2. どうしたんですか / をなくしてしまいました

상황3. どうしたんですか / デートをうっかりしました

STEP4

1. ① X ② ○

> **녹음**
> ① 結婚記念日をうっかりしました。
> ② ペアリングをなくしてしまいました。

2. ① 남자 친구의 생일을 깜빡했어요.
② 요즘 바빠서 까먹어버렸어요.
③ 얼른 연락해 봐요!

3. ① 記念日を間違えてしまいました。
② 彼女との約束を忘れてしまいました。
③ どうしよう…同僚の結婚式をうっかりしました。

Day 44

192p

STEP3

상황1. コチュジャンを入れすぎました / を加えたらどうですか

상황2. 残ってるビールが / コンビニで缶ビール買ってきます

상황3. 牛乳を加えたらどうですか / 近くのスーパーで牛乳買ってきます

STEP4

1. ① ○ ② X

녹음
① ごま油を加えたらどうですか。
② 残ってるコチュジャンがありません。

2. ① 집에 남아있는 우유가 없어요.
② 제가 편의점에서 즉석밥 사 올게요!
③ 편의점에서 캔 맥주 사 올게요.

3. ① 今日は牛丼です！
② 楽しみです！
③ どうしよう！お塩を入れすぎました！

Day 45

196p

STEP3

상황1. にプレゼントをしたいです / はどうですか

상황2. にプレゼントをしたいです / がおすすめです

상황3. 彼女にプレゼントをしたいです / がおすすめです

STEP4

1. ① X ② ○

녹음
① 夫にプレゼントをしたいです。
② ファンデがおすすめです。

2. ① 지금 뭐 보는 거예요?
② 백화점 카탈로그예요.
③ 명함 지갑을 추천해요.

3. ① 結婚記念日に夫にプレゼントをしたいです。
② ファンデがおすすめです。
③ スカーフがおすすめです。

Day 46

200p

STEP3

상황1. どうですか / 飛行機に乗りたくないです

상황2. 遠いですか / 思ったより遠くないです

상황3. パッケージツアーしたくないです / 思ったより高くないです

STEP4

1. ① X ② ○

녹음
① なるべく遠い国には行きたくないです。
② イタリアは思ったより高くないですよ。

2. ① 이번 휴가는 해외여행을 가려고 해요.
② 웬만하면 걷고 싶지 않아요.
③ 생각보다 친절하지 않아요.

3. ① 国は決めたんですか。
② じゃ、東南アジアはどうですか。
③ ヨーロッパは物価が高くて…。

Day 47 (204p)

STEP3

상황1. 変わりましたね / カラコンをつけました

상황2. メイクをしようかな / いいですね

상황3. パーマかけました / 久しぶりに前髪切ろうかな

STEP4

1. ① ○ ② ○

> **녹음**
> ① 気分転換にパーマかけました。
> ② 私も久しぶりにカラーしようかな。

2. ① 기분 전환으로 네일했어요.
② 기분 전환으로 향수를 뿌렸어요.
③ 오랜만에 에스테틱에 갈까?

3. ① 今日雰囲気変わりましたね！
② よく似合ってます！
③ 気分転換にウィンドウショッピングしました。

Day 48 (208p)

STEP3

상황1. ダイエット中です / 細いと思います

상황2. ダイエットですか / もっと脂肪をカットしたいです

상황3. 筋肉質になりたいです / 十分かっこいいと思います

STEP4

1. ① ○ ② X

> **녹음**
> ① このままでも十分可愛いと思います。
> ② もっと筋肉質になりたいです。

2. ① 지금부터 점심 먹으려고요.
② 아니, 그것뿐이에요?
③ 충분히 멋있다고 생각해요.

3. ① また鶏むね肉ですね。
② 最近ダイエット中です。
③ 十分効果的だと思います。

Day 49 (212p)

STEP3

상황1. 肌の調子が悪いです / 無理しないでください

상황2. 目の調子が悪いです / コンタクトはつけないでください

상황3. の調子が悪いです / 動かないでください

STEP4

1. ① X ② ○

> **녹음**
> ① 肌の調子が悪いです。
> ② できれば運動はしないでください。

2. ① 어제부터 눈 상태가 안 좋아요(눈이 아파요).
② 가능하면 움직이지 마세요.

③ 아, 근육이 빠지는데….

3. ① ケガしたんですか。
② 今日ジムでケガしました。
③ あざだらけですね。

Day 50

216p

STEP3

상황1. お仕事は / 仕事をしています

상황2. で働いていますか / で働いています

상황3. 大学で教授をしています / スタバで働いています

STEP4

1. ① X ② X

녹음
① 公務員をしています。
② 私は幼稚園で働いています。

2. ① 대학에서 교수를 하고 있어요.
② 와, 멋지네요!
③ 아버지는 일본계 기업에서 일하고 있어요.

3. ① おっ、バリスタ！かっこいいですね。
② 彼のお仕事は何ですか。
③ 編集の仕事をしています。

Day 51

220p

STEP3

상황1. 帰らないんですか / 締め切りでバタバタしています

상황2. 多くて / 一緒に片付けましょうか

상황3. 棚卸しでバタバタしています / 手伝いましょうか

STEP4

1. ① X ② ○

녹음
① お店の掃除でバタバタしています。
② よかったら手伝いましょうか。

2. ① 괜찮으면 역까지 바래다줄까요?
② 할 일이 많아서….
③ 신상품 테스트 때문에 정신 없어요.

3. ① 何してるんですか。
② 報告書でバタバタしています。
③ 大丈夫です。ありがとうございます。

Day 52

224p

STEP3

상황1. は順調ですか / 順調です

상황2. 誰がしますか / 私がすることにしました

상황3. は順調ですか / 思い切って履歴書を出しました

STEP4

1. ① X ② ○

녹음
① 会議の準備は順調ですか。
② 残業手当がなかったです。

2. ① 네, 그럭저럭(어떻게든).

② 무라야마 씨, 상품 판매는 순조롭나요?

③ 최악! 악덕 기업이잖아!

3. ① てか、なんで転職を決めたんですか。

② 思い切って部署を変えました。

③ ミーティングは順調ですか。

Day 53

(228p)

STEP3

상황1. 酔っ払ってスマホをなくしました / よくないです

상황2. 調子が悪いです / やっぱり空腹にお酒はよくないです

상황3. 帰らなかったんですか / 酔っ払って終電も逃しました

STEP4

1. ① ○ ② ○

녹음

① 酔っ払って終電も逃しました。

② やっぱり飲みすぎはよくないです。

2. ① 몸을 생각해 주세요, 정말.

② 집까지 택시로 2만 엔이었어요.

③ 너무 취해서 전 남친에게 문자했어요.

3. ① 同窓会で飲みすぎました…。

② やっぱりダイエットにビールはよくないです。

③ すみません。酔っ払って失言しました。

Day 54

(232p)

STEP3

상황1. 最寄駅までどれくらいかかりますか / くらいです

상황2. 通学ですか / 地下鉄で通っていますよ

상황3. 遠いですか / 徒歩で通っています

STEP4

1. ① X ② ○

녹음

① 私は20分くらいです。

② 私はチャリで通っていますよ。

2. ① 오늘도 아슬아슬하게 세이프!

② 오늘도 운이 좋았네요.

③ 야마모토 씨는 학교까지 얼마나 걸려요?

3. ① タクシーで学校までどれくらいかかりますか。

② 晴れてる日はバスで通っています。

③ 急ぐ時はタクシーで通っています。

Day 55

(236p)

STEP3

상황1. マニュアルを暗記しました / さすが

상황2. 終わりましたか / 卒論を完成しました

상황3. 順調ですか / オンライン授業を受けました

STEP4

1. ① ○ ② X

녹음
① 実は一夜漬けで覚えました。
② 徹夜で卒論を完成しました。

2. ① 어제 쪽지 시험은 어땠어요?
② 만점 받았어요!
③ 시험 범위 넓지 않았어요?

3. ① さすが先輩ですね。
② 徹夜でエントリーシートを書きました。
③ 一夜漬けで課題をやりました。

Day 56

(240p)

STEP3

상황1. デパートでセールやってますって / 本当ですか

상황2. お茶目ですね / 大学生には見えませんね

상황3. 意外と親切ですって / びっくりですね

STEP4

1. ① X ② X

녹음
① キムさんと江口さん、恋人ですって。
② ルイくんが妹ですって。

2. ① 쌍둥이로는 안 보이네요.
② 문학부의 료 군이랑 루이 군, 전혀 안 닮았죠?
③ 김 씨랑 에구치 씨, 사이 나쁘대요.

3. ① インドア派には見えませんね。
② うそ！アラサーには見えませんね。
③ 山口さんって意外と小心者ですって。

Day 57

(244p)

STEP3

상황1. 食べに行きませんか / は苦手です

상황2. キャンプしませんか / キャンプはちょっと

상황3. プリクラはどうですか / プリクラはちょっと

STEP4

1. ① X ② ○

녹음
① 私登山は苦手です。
② カラオケはちょっと…。

2. ① 엇, 몰랐어요!
② 수다쟁이는 불편해요.
③ 입에 발린 말은 잘 못해요.

3. ① じゃあ、カラオケはどうですか。
② 明日、猫カフェに行きませんか。
③ 恋愛映画はちょっと…。

Day 58

(248p)

STEP3

상황1. 給料が上がるような気がします /

おめでとうございます

상황2. 毎日が楽しみです / うらやましいです

상황3. 結婚式ですね / ハネムーンが楽しみです

STEP4

1. ① ○ ② X

> **녹음**
> ① もう受かったような気がします。
> ② 給料日が楽しみです。

2. ① 야마모토 씨! 내일 합격 발표네요.
② 다음에야말로 승진할 듯한 기분이 들어요.
③ 빨리 결과를 알고 싶어요!

3. ① 自信満々ですね。
② 宝くじに当たるような気がします。
③ 今年の夏休みが楽しみです。

Day 59

252p

STEP3

상황1. チキンかピザかで悩んでいます / がおすすめです

상황2. 発表は苦手です / 発表してください

상황3. で悩んでいます / チャレンジしてください

STEP4

1. ① X ② ○

> **녹음**
> ① 就活かワーホリかで悩んでいます。
> ② 実はワーホリに行きたいです。

2. ① 야마모토 씨, 들어주세요.
② 취준으로 정한 거 아니에요?
③ 자신감 가지고 열심히 해 주세요.

3. ① 最近、職場の人間関係で悩んでいます。
② 今日の夕飯でサラダかすきやきかで悩んでいます。
③ 自信もって告白してください。

Day 60

256p

STEP3

상황1. 言ったんですか / 仕方なく言いました

상황2. には気をつけてください / 気をつけます

상황3. 仕方なく電車に乗り換えました / には気をつけてください

STEP4

1. ① X ② X

> **녹음**
> ① 風邪には気をつけてください。
> ② 道が混んでいて、仕方なくバスに乗り換えました。

2. ① 앞으로 신경 쓸게요.
② 지갑이 없어서 어쩔 수 없이 돈을 빌렸어요.

③ 일손이 부족해서 어쩔 수 없이 휴일 출근했어요.

3. ① みんな待ってますよ。

② 言い方には気をつけてください。

③ 態度には気をつけてください。

Day 61

260p

STEP3

상황1. 相変わらずセンスがいいですね / うらやましいです

상황2. 賢いし、イケメンですね / 歌も得意です

상황3. 相変わらず美人ですね / 外国語も得意です

STEP4

1. ① ○ ② ○

> **녹음**
> ① 山田さんは相変わらずモテモテですね。
> ② 山田さんは運動も得意です。

2. ① 다나카 씨는 여전히 인기가 많네요.

② 정말 부러워요.

③ 스즈키 씨는 완벽한 사람이에요, 정말.

3. ① そりゃ賢いし、イケメンですから。

② しかも料理も得意です。

③ 相変わらず童顔ですね。

Day 62

264p

STEP3

상황1. 天気がいいですね / お散歩にぴったりですね

상황2. 寒いそうですよ / 上着を持ってきました

상황3. お花見にぴったりですね / 持ってきました

STEP4

1. ① X ② ○

> **녹음**
> ① 昨日は天気がよかったのに。
> ② 午後からは雨だそうですよ。

2. ① 오늘은 피크닉하기 딱 좋네요.

② 그래서 오늘 우산을 챙겨왔어요.

③ 남자 친구는 핫팩을 챙겨왔어요.

3. ① でも、午後からは天気がいいそうですよ。

② 今日折りたたみ傘を持ってきました。

③ この靴、ランニングにぴったりですね。

Day 63

268p

STEP3

상황1. MBTIが流行っています / 不思議ですね

상황2. 人気ですね / 無印の食べ物が人気です

상황3. ラーメンが流行っていますね / 特に激辛ラーメンが人気です

STEP4

1. ① X ② ○

> 녹음
> ① 特に激辛ラーメンが人気です。
> ② 山本さんも先週買いました。

2. ① 요즘 다들 키홀더를 갖고 있네요.
② 최근, 독감이 유행하고 있어요.
③ 특히 혼코(혼자 노래방에 가는 것)가 인기예요.

3. ① 最近、UFOキャッチャがまた流行っていますって。
② 特にぬいぐるみのキーホルダーが人気です。
③ そうですか。心配ですね。

Day 64

272p

STEP3

상황1. インスタの投稿に夢中ですね / インスタのアカウントを作りました

상황2. アカウントを消したんですか / はうんざりです

상황3. に夢中ですね / 動画広告はうんざりです

STEP4

1. ① ○ ② X

> 녹음
> ① 最近、みんなインスタに夢中ですね。
> ② 最近は連絡もメールでしますよ。

2. ① 저는 인스타 계정을 삭제했어요.
② 저도 이제 앱 알람은 지긋지긋해요.
③ 다들 사진 보정에 푹 빠졌네요.

3. ① もうスパムDMはうんざりです。
② ユーチューブの動画広告はうんざりです。
③ 最近、料理に夢中ですね。

Day 65

276p

STEP3

상황1. 頼みましょうか / って気分です

상황2. にしますか / 定食にします

상황3. 辛口のカレーって気分です / 吉野さんと同じものにします

STEP4

1. ① X ② X

> 녹음
> ① 今日はすきやきって気分です。
> ② 私は激辛ラーメンにします。

2. ① 매운 카레도 괜찮네요. 시켜요.
② 그럼 셰어해요(나눠 먹어요).
③ 오늘은 엄마의 요리가 먹고 싶은 기분이에요.

3. ① 手羽先にします。
② おすすめメニューにします。

③ 今日(きょう)の夕飯(ゆうはん)はすしって気分(きぶん)です。

Day 66

280p

STEP3

상황1. タロットカード占(うらな)いをします / いいですね

상황2. 何(なに)をしますか / 動画(どうが)編集(へんしゅう)をしています

상황3. 何(なに)をしますか / ゲームアプリで遊(あそ)びます

STEP4

1. ① ○ ② ○

녹음

① 明日(あした)から3連休(さんれんきゅう)なのに、することがないですね。

② 私(わたし)は暇(ひま)な時(とき)はカフェ巡(めぐ)りをします。

2. ① 저도요, 메이 씨는 휴일에 뭐 하세요?

② 요즘 한가할 때는 드라마를 정주행해요.

③ 드라마 정주행 좋네요!

3. ① 暇(ひま)つぶしで副業(ふくぎょう)をしています。

② 暇(ひま)な時(とき)はパズルをします。

③ 最近(さいきん)、暇(ひま)つぶしで夫(おっと)とベーキングしています。